读图时代

江南

衣裳

Jiangnan Yishang

桑 林○编著

湖南美术出版社

图书在版编目(CIP)数据

江南衣裳 / 桑林编著.—长沙：湖南美术出版社，
2011.6

ISBN 978-7-5356-4512-8

Ⅰ.①江… Ⅱ.①桑… Ⅲ.①服饰—研究—华东地区

Ⅳ.① TS941.742

中国版本图书馆 CIP 数据核字（2011）第 099596 号

江南衣裳

出 版 人：李小山
编　　著：桑　林
责任编辑：李　坚　杜作波
出版发行：湖南美术出版社
　　　　　（长沙市东二环一段622号）
印　　刷：长沙湘诚印刷有限公司
　　　　　（长沙市开福区伍家岭新码头95号）
经　　销：湖南省新华书店
版　　次：2011年6月第1版第1次印刷
开　　本：889×1194　1/24
印　　张：6.5
书　　号：ISBN 978-7-5356-4512-8
定　　价：26.00元

邮购电话：0731-84787105　邮编：410016
网址：http://www.arts-press.com
电子邮箱：market@arts-press.com
如有倒装、破损、少页等印装质量问题，请与印刷厂联系斟换。
联系电话：0731-84363767

前言

　　江南，小桥流水、草长莺飞、烟雨迷蒙。江南衣裳，轻柔飘逸，既有丝绸的锦绣华贵，又有蓝印花布的朴素自由。

　　江南服饰，会带你我走进蚕桑、丝绸、织锦、缂丝、刺绣、蓝印花布与旗袍的国度，寻觅那些漂泊在水乡的印记，探访到与江南服饰有关的历史人物和风物：士绅、文人、商贾、昆曲、西施、勾践、白居易、李清照、柳如是……渐次浮现。

　　让我们身处繁华城市中，仍然能拥有一颗如白莲般安静温润的心，在本书诗性意境、历史风物景致中，做一次自由的行走，静静欣赏江南服饰，细细品味每一个和江南衣裳有关的细节与韵致。

江南衣裳 目录

◎ 第一章

闲梦江南

"江南好，风景旧曾谙，日出江花红胜火，春来江水绿如蓝。"

江南，是人间天堂，是历史时空中文人们的精神家园。她如此清雅诗意，让人痴心迷醉，流连忘返。她如此富庶繁盛，是"堆金积玉地，富贵温柔乡"。那么何处是江南？江南又有怎样的成长经历呢？

何处是江南

　　江南，一个让人魂牵梦绕的地名。

　　"暮春三月，江南草长，杂树生花，群莺乱飞……"南北朝时的丘迟，只用了这样寥寥数语，便让叛逃北方的陈伯之心甘情愿回归了梁朝，回归了江南。

　　"江南好，风景旧曾谙。日出江花红胜火，春来江水绿如蓝。"唐代诗人白居易如此动情的回忆，不知打动了多少人的心扉。

　　"东南形胜，三吴都会，钱塘自古繁华。烟柳画桥，风帘翠幕，参差十万人家。云树绕堤沙。怒涛卷霜雪，天堑无涯。市列珠玑，户盈罗绮、竞豪奢。 重湖叠巘清嘉。有三秋桂子，十里荷花……"宋代词人柳永妙笔生花之下的江南如诗如画，引得金主完颜亮顿生倾慕，继而挥鞭南下。

　　……

　　太多的诗词歌赋情系江南，所以，对江南最好的眷恋，便如同《梦江南》一曲所唱：只愿能化作唐宋诗篇，长眠在你身边。

　　只是，江南在何处呢？在诗词里，文人们提及最多的苏州、杭州、西湖、太湖均位于长江之南，而"二十四桥明月夜"的扬州却是在长江之北，所以用"长江之南"来解释显然不正确。再回到历史追

3

◎ 春来江水绿如蓝

溯开去，江南的概念也是纠缠而模糊的。《国家地理杂志》曾请各个领域的学者将他们心目中的江南在地图上圈出来，最后得到的重叠部分，就是今日的江浙地区，也就是太湖和西湖的周边地区。他们说，这就是真正意义上的江南。

然而这个结论很多人并不在乎，因为人人心中都有一个江南，江南就在自己的心里：

这个江南，是"红了樱桃，绿了芭蕉"、"青山隐隐水迢迢"的山水画卷；

这个江南，是"山色空濛雨亦奇"、"半壕春水一城花，烟雨暗千家"的梦里水乡；

这个江南，更是"腰缠十万贯，骑鹤下扬州"、"游人只合江南老"的人间天堂。

那里垂柳依依，莲叶田田，烟雨蒙蒙；那里芳草鲜美，落英缤纷，花雪千树；那里歌舞升平，美人似玉，情怀如水……

那里，是所有人心底一个不醒的梦境。在梦里，一切都唯美缥缈。如果你愿意在这样的梦里徜徉，等待你的会是一场醉心的相遇。

江南初养成

江南，这颗我国历史上的明珠，在其之名形成之前，度过了虽不暗淡，却无比漫长的成长岁月。

远在新石器时代，江南地区就已有人类生活的痕迹。当历史的车轮驶入春秋时代，吴越两国在江南地区，经历了一系列权谋交织的生死之战。

公元229年，孙权在建业（南京）称帝，建立了三国时期的江南地方政权——东吴。这时，长江沿岸出现了许多屯田，人烟渐渐稠密。

江南的第一个大的转折期——东晋，缓缓从历史中走来。北方的人开始大规模移居江南，南下的农民补充了当地的劳动力，带来了先进的生产工具和技术；而文质彬彬的士族，则将吴越的强悍个性，进行了潜移默化的全面改造。到了隋朝，江南人已经变得讲究礼仪，温和淳朴，仿佛中原旧俗。

隋朝为加强中央控制，开通了京杭大运河，成为江南发展的一个至关重要的条件。从洛阳到杭州，大运河全长四五千里，是南北交通的大动脉。

唐代的江南，已出落得亭亭玉立，"赋出于天下，江南居什九"。江南富庶四方传诵，扬州的绫罗丝缎、铜镜笔纸、糯米，都远赴千里，送进帝王家。

江南的第二次重大转折期，又一次不期而遇。安史之乱，戏曲家、画家、文学家为逃避战乱北下南迁，经济文化重心已经明显南移，江南全面超过北方只待时日。

战争也好，和平也好，历史车轮滚滚，江南似乎总能受益。五代十国虽征战连连，但江南的相对稳定，使其获得了发展的良机。

一转眼，到了宋代。江南的第三次历史转机，正在进行。北宋亡，宗族南迁，带来了大量的财富；大批文人的南迁，也加速了文化的传播与融合，对江南文化产生了深远的影响。

至此，经过漫长的历史积孕，江南终于演化为集富贵与风雅于一身的政治、经济、文化中心。

此后的元、明、清，除去元代江南的经济曾受到冲击，就总体而言，江南仍是锦上添花。明清时期，科举的状元、榜眼、举人，在江南地区每每占有特异的比例，即所谓"一榜九进士，六科三解元"。江南，成为名副其实的"堆金积玉地，富贵温柔乡"。

◎ 江南风光

不是人寰且是天上

◇ 诗意江南

　　水光潋滟晴方好，山色空濛雨亦奇。
　　欲把西湖比西子，淡妆浓抹总相宜。

　　在众多有关江南的诗词文章中，传诵最广，影响最深的，莫过于苏东坡的《饮湖上初晴后雨》诗。用绝世美女西施比喻绝世的江南西湖美景，贴切巧妙，成为千古绝唱。因此自苏东坡后的诗人，常用"西子湖"入诗。

　　元末明初诗人凌云翰诗：

　　家住钱塘西子湖，钓竿几度拂珊瑚。
　　扁舟载月归来晚，不觉全身入画图。

　　元代诗人杨维帧诗：

　　西子湖头春色浓，望湖楼下水如空。
　　柳条千树僧眼碧，桃花一株人面红。

明于谦诗：

> 涌金门外柳如烟，西子湖头水拍天。
> 玉腕罗裙双荡浆，鸳鸯飞近采莲船。

而"上有天堂，下有苏杭"的美誉，却是经过漫长的岁月，逐渐沉淀而成的。从诗词中可以隐约感知它形成的脉络。

李白《与从侄杭州刺史良游天竺寺》诗中，起篇就将杭州比作蓬莱仙山：

> 挂席凌蓬丘，观涛憩樟楼。
> 三山动逸兴，五马同遨游。

此后，这种比喻屡屡出现。

北宋诗僧仲殊《南柯子·六和塔》词下阕：

> 霁色澄千里，潮声带两洲。
> 月华清泛浪花浮。
> 今夜蓬莱归梦，十二琼楼。

此后又进一步，诗人将杭州比作天宫。宋初潘阆《酒泉子·长忆钱塘》词上阕：

> 长忆钱塘，不是人寰是天上。
> 万家掩映翠微间，处处水潺潺。

◎ 杭州西湖曲院风荷

◎ 杭州西湖柳浪闻莺

北宋陶谷《清异录·地理门·地上天宫》：

> 轻清富丽，东南为甲；富兼华夷，余杭又为甲；百里繁庶，地上天宫也。

至南宋时，就已出现天堂之名。南宋范成大《吴郡志·杂志》："谚曰：'天上天堂，地下苏杭。'"

此后，上有天堂，下有苏杭就广为流传。元奥敦周卿小令《蟾宫曲》之二：

> 西湖烟水茫茫，百顷风潭，十里荷香；宜雨宜晴，宜西施淡抹浓妆。尾尾相衔画舫，尽欢声无日不笙簧；春暖花香，岁稔时康：真乃"上有天堂，下有苏杭"。

第二章

放棹西湖月满衣

　　沉鱼落雁，闭月羞花。西施浣纱，给荒蛮尚武的吴越，增添了女性的柔美与温婉。忆梅下西洲的少女，日夜思念着江北的白衣少年。盛世唐朝，袍如烂银文如锦，春衣一对直千金。一种相思两处闲愁，到宋朝风气为之大变，人比黄花瘦，大肆流行。

西施浣纱

◇ 一顾倾城

说起江南，不得不提到一位与江南密切相关的女子，正是这位女子，晕染了江南的山山水水，给当时还荒蛮尚武的江南增添了一抹女子的温婉与气韵。

相传苎萝山下，一条清澈的溪水潺潺流过。山下东西二村，西村现在叫浣纱村，东村为鸬鹚湾村。西村是一个风景秀丽的小山村。依山临水，竹楼茅屋，房舍井然。村外绿树环抱，碧水淙淙。蓝天上飘荡着一簇簇、一团团的云朵。一方方明镜似的秧田中，村民们正在田中耕作。

忽然，风中传来一串清澈悦耳的歌声。

歌声轻柔清丽，婉转动听。循着歌声，江水之畔，芦苇丛中，突出的一块碾盘大小的白石板上，一位十五六岁的娉婷少女，穿着白色长纱裙，在江中揉洗着纱支。这个女孩名叫"施夷光"，人们叫她"西施"。

这个浣纱女孩的出现，改变了正在进行中的战国局势。

三年后，西施来到姑苏，住进了灵岩山上的馆娃宫。吴王喜欢听西施穿着木屐走在青砖上发出的清脆的声响，于是专门命人做了回廊，命名响履廊。每每西施行来，如空谷回音，再衬上她袅袅的身姿，美妙异常。

吴宫中，还有一条香水溪，又叫脂粉塘。传说是西施进宫后，爱此溪清澈可爱，常常在溪中沐浴、妆扮，脂粉因而染香了溪水。

吴王爱西施的美色，常常和她在此采香泛舟，伴她照影，为她梳头。

吴国灭亡后，西施逃出吴苑，惶惶然地立在树下。越兵望见，惊为天人，都不敢上前冒犯。

关于西施的下落，民间流传最广的，莫过于她随范蠡泛吴湖而去。这是一个完美而飘逸、令人充满遐思的结局。

当然还有另外一种说法，说西施沉江而死。唐代诗人皮日休诗云："不知水葬今何去，溪水弯弯欲效颦。"李商隐咏道："肠断吴王宫外水，浊泥犹得葬西施。"与西施时代最相近的《墨子》也说："西施之沉，其美

◎ 西施浣纱图

◎ 江南山水风光

　　也。"若真如此，剩下的便只有凄美了。

　　江南发源地的吴越地区，因有了西施这位绝世美女，在兵戎相见之中就多了一份女性的柔美与温婉。而吴越山水养育的西施，也给山清水秀的吴越平添了一份智谋与韬略的文化气息，开启了光辉灿烂的江南文化的历史源头。可以说，西施与吴越山水有着某种割舍不断的联系。

　　美女西施的白色深衣，也同西施一起，飘扬在江南的源头，飘荡在无数文人墨客的记忆吟咏之中。不仅如此，名动吴越的西施对轻薄飘逸的纱质深衣的热爱，也体现着江南女子对服饰的审美与江南女子的气韵风度。

◇ 深衣翩翩

沉鱼落雁，闭月羞花。

西施着一身深衣，款款地从吴越山明水净的小山村中走出。年少的她，清新犹如清澈湖面的风，犹如荷叶中滚动摇曳的一颗晶莹剔透的露珠。

一方水土，一方人。

生长在越国的女子，这里是江南地区典型的"水乡泽国"。江河浦泾迤逦旖旎，港娄沟浜纵横交错，湖荡潭池星罗棋布。水，滋润着这里的山麓树木，滋养着细腻洁净的肌肤和自然温柔的心灵。

西施，正挎着竹篮，朝河边走去，篮子里是村里织坊刚刚纺好的纱。女孩子们除了在家做针线、纺纱，就是去溪边浣纱，就是将刚刚织好的纱清洗干净，然后反复捶打，使之密实耐用。

这是女孩子们都喜欢的工作。从中，也可隐约感知吴越当时纺织业的兴盛。

女孩子们穿上合体舒适的深衣，裙衣飘摆，在明镜般的溪水中，将件件白纱漂洗得清澈透亮。

◎ 《三才图绘》中的深衣（明）

◎ 汉代女子的曲裾深衣

深衣，是此时盛行的服饰。由于当时服饰的种类尚不多见，所以深衣便席卷全国，一时男女、文武、贵贱都穿，并以此为尚。让我们看看这是怎样的一种服装款式。

翻开典籍，《五经正义》中记述："此深衣衣裳相连，被体深邃。"而具体样式，说法不一，根据文字记载和出土实物将其归纳为几个特点：一是"续衽钩边"，即下身裙摆不开衩，所以制时必然下摆阔大，行走飘逸；二是衣襟加长，使其形成三角绕至背后，以丝带系扎，这表明斜开的衣领下端加长，可形成一件腰带；三是上下分裁，上身竖服，下身斜服，然后在腰间缝为一体，这是说上身和下身并不是一块布剪裁下来的，上身齐整，而下裙则斜开，并不是如圆筒般将人套上。现在街头斜开的裙裾依然不时可见，而这种斜开款式，正来自西施的那个时代。

深衣因为穿上后上身合体，下裳宽广，长至足踝或长曳及地，也不影响迈步。飘若惊鸿，宛如游龙，只有在这种体裁阔大、无拘无束的服饰下，才可有吧！那种型身束腰、体格狭小的服饰，无论多么凸显身材，可能还是缺乏一种雍容大度的气质吧！

虽然自周朝起，中国的冠服制度已经趋于完备，但是吴越地区由于和中原外界基本不发生联系，因而冠服制度在吴越影响甚微，估计只有国君及朝廷大臣服饰有所区别，其他人等衣着自然。由于此时无论富贵贫贱，人人皆着深衣，因此个人地位身份就只有通过深衣的长短制式的不同来区别。贵族所着，裙摆宽阔，曳地被土，衣袖宽大；而百姓所着，则裙摆短小，将盖脚面或及至小腿，衣袖也窄得多。

之所以有这种区别，估计是生活环境不同。百姓日日劳作，阔大裙幅无疑不利于躬耕田亩、纺织采桑、饲养家畜，裙摆狭短活动起来更加便利。而富贵之家、官户门第不事户外劳动，整日行走端坐，自然无所牵制，因而裙必宽大，袖必舒展。

此时，吴越深衣多以白色麻布为主，斋戒时则用缁色（即黑色，为黑泥之色），或有加彩者，或边缘绣绘。

◇ 勾践短褐

虽说人人皆可着深衣，然而不是所有人都能做得起或买得起一件深衣，经济规律自古皆然。还有一种情况，比较特殊，那就是亡国之君越王勾践。

勾践兵败被擒，夫差一念之差，保留了勾践的性命。那个时期的人精力充沛，好奇心强，夫差也不例外。他就想看看勾践穿着贱民的衣服，养马拾粪，打水扫地。

现代人目的性强，直奔目标，一招致命。而古时的夫差显然不喜欢这种直达目标的单调模式，他喜欢玩，也不管相国子胥激烈的反对："勾践为人，性极机险，一旦得志，如放虎归山，纵鲸归海，不可复制矣。"——臣子能将话说到此，也是仁至义尽了。

然而正如前面所说，夫差不是个生性无趣、寡淡无味的人，相反，他野心勃勃、信心十足，且童心未泯。以他的智谋，岂不知勾践复国之险？若为了规避危险，永远按部就班，亦步亦趋，失与得又有何乐趣？人生何尝不就是一次冒险。于是骄傲如此的夫差将勾践关押，每日创新出一些新鲜玩法，让勾践付诸实践。

夫差不纳子胥之谏，受越贡献。使王孙雄于阖闾墓旁，筑一石室，将勾践夫妇贬入其中。去其衣冠，蓬首垢面，执养马之役。幸赖伯（喜否），私馈食物，得免饥饿。

每逢吴王出游，勾践手执马鞭，步行车前，吴人皆指点道："此是越王，如今执奴婢之役于我国矣。"勾践唯低首忍辱，不敢多言。

越王服犊鼻，著樵头，斫锉养马，夫人衣无缘之裳，施左阙之襦，汲水、除粪、洒扫；范蠡拾薪炊爨，面目枯槁。

犊鼻是一种三角形状的短裤（不同于今天的三角内裤），樵头是头发盘成发髻后包的包布，而勾践的夫人则穿着没有任何修饰的简陋裙子和贫民式样的上衣。

由此可见，上衣下裳在当时也非常普遍，吴王夫差为了羞辱勾践，令他穿上贫民的衣服。偶尔，还命令勾践充当自己的马夫，招摇过市。

此时，北方少数民族的服装是短衣、长裤、革靴或裹腿，其衣袖偏窄，便于肢体活动。而吴越地区出现类似胡服的服饰，应该是出于劳动方面的原因。吴越多水泽，而深衣这种宽衣大袖的衣服，即使略有短小，也不便于水田中耕作。

◎ 穿绕襟深衣的彩绘木俑
（长沙马王堆汉墓出土）

忆梅下西洲

◇ 单衫杏子红

不论时光流逝，世事变幻，历史的河流暗自奔涌一路向前。

时间来到三国两晋时期。这是江南之地的少年时期。

豆蔻梢头，最好的年华光景。小荷才露尖尖角，早有蜻蜓立上头。

江南，正顺着时光的河流，跌宕起伏地流向《西洲曲》和那个"单衫杏子红，双鬓鸦雏色"的江南女子。这首诗中所描述的地点，未必是今日苏杭，但诗行字句中的风物情状，总让人联想起江南。

暮春三月，江南草长，杂树生花，群莺乱飞。年华正好、情愫初萌的女子，换下厚厚的夹衣，穿上如门前杏花一样胭红的单衫，高高挽起年轻女孩流行的双鬓，紧实光滑的发鬓乌黑发亮。

南朝的江南，少女流行的装扮就是如此了吧！

宗白华指出，魏晋六朝时期，一方面"是中国政治上最混乱，社会上最痛苦的时代"，另一方面却又是"精神史上极自由，极解放，最富于智慧，最浓于热情的一个时代"。

此时，汉赋恣意汪洋的气韵犹在，魏晋纵情放浪的风度尚存，而距朱程理学的禁锢，还有千年之遥。江南的女子们，自然，随性，烂漫天真，保留着人性中最美好的部分。此时，也该是中国女子最美好的时期，没有大门不出二门不迈的家规，没有面覆纱巾笑不露齿的陋

小荷才露尖尖角

习，没有父母之命媒妁之言的终身之定，更没有约束女子行动的三寸金莲。

历史的天空风轻云淡。江南女子，在某个阳光明媚、绿柳扶疏的日子前往西洲。在街市茫茫的人潮中，不偏不倚不早不晚，她遇见了一位俊秀的白衣少年。白衣少年，有着如她一样葱茏的青春和青涩的眼眸，他们相视而笑，刹那间，时光已百炼，钢成绕指柔，山色苍莽，余晖脉脉水悠悠。

然而，春天过去，夏天来了，江北的人并未如约前来。少女依然日日精心梳妆，发髻上总插着一枚翠绿的发簪。打开门，门前的乌桕树已经格外稠密繁盛，茂盛的树叶被风吹得哗哗作响。秋天，到了，采莲的季节也到了。少女上穿紧身襦衣，下着宽松长裤，荡舟湖上，荷塘清香四溢，粉红的莲花，青涩的莲子，明澈的湖水，那个眉目俊朗的少年，是否可知她莲子一般苦涩的心事？

后来，那些和江南有关的爱情故事，那些于一眼就确定的感情，就在这里悄悄被记起。而江南，这个被爱情缭绕的地方，随时都有爱情发生。在每一个爱情中，都会窥见一个江南女子的辗转流连的身影，都会触及裙裾翩跹衣摆飘舞的轻盈与优雅。

◇ 褒衣博带

刀光剑影的魏晋南北朝，才华横溢风华绝世的时代。

国之不幸诗家幸。国之不幸，有时也是文化、服饰之幸。

这种说法，不带丝毫牵强附会。

社会大动乱往往流民丛生，而中国的情形往往是，中原文明受到北方少数民族的侵袭，三次衣冠南渡，大量北方百姓移民南方，将中原文明带入江南。于是，落后荒蛮的南方，在一次次接收吸纳南渡的中原文化时，一点点成长，最终成为全国的经济文化中心。

◎ 采莲女子

◎ 泛舟女子

　　江南服饰，同样如此。

　　魏晋南北朝时期，连年战争，东晋偏安杭州，秦汉的中原遗俗在江南地区得到继承与发扬。宽大裙襦式服装历来是汉族衣装的主流，南方气候相对温暖，也利于宽衣的存在。当时的士大夫生活优裕，衣服的款式越来越博大，加上玄学清谈的风气影响，士人追求自由奔放、自然飘逸的境界，更助长了衣裳博大、广袖长裙之风，以至于"一袖之大，足断为两，一裙之长，可分为二……"由于统治阶级的提倡，穿戴宽大侈丽之服在南朝成为一种风尚，正如颜之推所言："梁世士大夫，皆尚褒衣博带，大冠高履，出则车舆，入则扶持，城郭之内，无乘马者。"这种宽衣大袖的服饰也深刻体现出士族贪图安逸、注重享受的心理。

《抱朴子·刺骄篇》称："世人闻戴叔鸾、阮嗣宗傲俗自放……或乱项科头，或裸袒蹲夷，或濯脚于稠众。"

《搜神记》写道："晋元康中，贵游子弟，相与为散发裸身之饮。"

《颜氏家训》也讲梁式士大夫均好褒衣博带，大冠高履。除大袖衫外，男子也着袍、襦、裤、裙等。

《周书·长孙俭传》记载："日晚，俭乃著裙襦纱帽，引客宴于别斋。"当时的裙子也较为宽大，下长曳地，可穿衫内，也可穿衫袍之外，腰间以丝绸宽带系扎。

◇ 白衣飘飘

那是个白衣飘飘的年代。

很多人喜欢白色，并不是没有道理。白色纯洁、飘逸，有种与世无争的从容与超脱。然而现在的白色在中国有点尴尬，一方面，年轻人结婚一般都会选择西式的白色婚纱，而另一方面，白色又是既定的丧服的颜色。

不过，可能很少有人知道，作为西方高贵色彩的白色，早在一千多年前，也曾是中国的高贵颜色。

这个时期颜色多喜用白，喜庆婚礼也可穿白袍。《东宫旧事》记载："太子纳妃，有白縠、白纱、白绢衫、并紫结缨。"看来，白服不仅用作常服，还可以权当礼服。

想必江北的那位少年郎，也是身穿一件白色长衫，行走在西洲的青石板铺就的大街小巷中，而四周人头攒动，吴侬软语，叫卖声不绝于耳。他正要和他的叔父一同赶往南塘前去提亲。那个娇憨可爱的心上人，不知是否信守诺言，还在等他。梅花开了又落，乌桕树下，塘口门前，那只碧绿的发簪，是否还在乌黑浓密的鬓发间闪耀。

此时，男子服装深衣渐退，长衫流行，长衫较之深衣，长度相仿，而裁制更为简单，成为当时最有时代特色的男子服饰。衫与袍的区别在于袍有祛（袖口），而衫为宽大敞袖。袍有夹袍、棉袍，而衫有单、夹二式，质料有纱、绢、布等。

　　此时妇女的日常穿着是上着襦衫，下系裙子。北方女子受胡服影响，多为紧身小袄；南方则较为灵活，既有像北方的紧身小襦，又有长裾飘飘、折褶细密的宽身大衫。上俭下丰，裙长衣短，裙长直曳到地；广袖翩飞，身上衣带当风；层层叠叠，如仙女一般，体现出江南女子特有的优雅婉转和轻盈飘逸的脱俗风姿，这在《洛神赋图》、《列女传》等图卷中都可以看到。

◎ 《洛神赋图》局部（东晋 顾恺之）

◇ 北靴南屐

"脚着谢公屐，身登青云梯。半壁见海日，空中闻天鸡。"

与西方知识分子喜爱发明不同，中国文人认为科学发明为"技"，形而上谓之术，形而下为技。对技艺的歧视，使得泱泱大国的科技发明落后于西方，不要提四大发明，实际上，把这四大发明用于实践，并取得巨大成就的，是西方。

然而，中国也不是完全没有热爱发明创造的知识分子。谢灵运就是一个。谢灵运热爱山水诗画，他首创了清新自然、寓情于景的山水诗，开创了中国古典山水诗歌流派。后来，是否会写山水诗，是否可以体会山水风景，成为魏晋风度的一项重要评价标准。可见，谢灵运当时在文坛的地位之高。用领袖二字来形容毫不夸张。

而谢灵运在写山水诗之余，还发明了一种登山鞋，即木屐，后被称为"谢公屐"。屐下有齿，这是为了行走方便，防止跌滑。上山则去前齿，下山则去后齿。

《急就篇》注云："屐者，以木为之，而施两齿，可以践泥。"晋代着屐更为普遍，无论男女均可穿着。到了梁朝全盛之时，贵族子弟又多穿高齿屐，《颜氏家训·勉学第八》说他们"无不熏衣剃面，傅

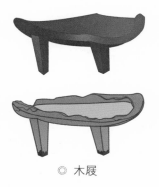

◎ 木屐

◎ 圆形平头屦

◎ 凤头屦

粉施朱，驾长檐车，跟高齿屐"。

穿着相对宽松的屐也适应了南朝士人空疏狂放、悠纵轻慢的风度。因此，屐在六朝十分普遍，南朝士人经常着屐，即使在朝会等正式场合，也有人摄屐到场。《南史》卷三四《虞玩之传》载："太祖（萧道成）镇东府，朝野致敬，玩之犹摄屐造席。"萧道成不但不以为怪，反而"取屐视之，讹黑斜锐，虁（鞋带）断，以芒接之"。虞玩之并得意地称："着已二十年。"不过，着屐致敬，在当时毕竟还是少数高门士族自恃身份才做得出的，屐毕竟不如履正规。

靴，是北方少数民族的服饰之一，在北方匈奴等游牧民族中极其盛行。魏晋南北朝时已极其普遍，北朝尤盛。

《晋书·石季龙载记》载曰："季龙常以女骑一千为卤薄，皆著紫纶巾，熟锦裤，金银缕带，五文织成靴，游于戏马观。"《北堂书钞》也载曰："石虎皇后（南北朝赵国）出，女骑千人，脚皆五色靴。"

靴的保暖性适应了北方寒冷的天气，不仅官员武士穿靴，平民百姓也穿靴。

北方的靴也传入南方，但传播的范围不广，究其原因，正如南方的屐不被北方人接受一样，北方的靴也不受南方人欢迎，气候条件的差异是形成"南屐北靴"格局的重要因素之一。

履是魏晋南北朝时期比较正规的鞋子。这一时期，履的名目和式样很多，这些履既有男性穿着的，也有专供女性穿用的。履的形制一般均为高头大履，虽颇有逍遥之致，但走起路来却不甚方便，更多情况下则是"北人着靴，南人着屐"。

鞋具之内，又有袜。袜在汉代就已出现，大多用布制成，穿时以带子系于脚踝之上。孙吴贺邵，"为人美容止"，"在官府常著袜，稀见其足"。贺邵以着袜作为美风仪的标志，这说明在三国时着袜还不是人们的普遍衣着习惯。魏晋以后，以袜裹足，才逐步普及。

◎ 靴

◎ 李白

乱花渐欲迷人眼

江南衣裳

◇ 春衣一对直千金

　　唐代的光辉灿烂，江南的温柔富庶，在服饰上得到最完美的结合与展现。白居易，就曾详尽描写江南纺纱、织锦、染色工艺。

《缭绫》白居易

缭绫缭绫何所似？不似罗绡与纨绮；

应似天台山上明月前，四十五尺瀑布泉。

中有文章又奇绝，地铺白烟花簇雪。

织者何人衣者谁？越溪寒女汉宫姬。

去年中使宣口敕，天上取样人间织。

织为云外秋雁行，染作江南春水色。

广裁衫袖长制裙，金斗熨波刀剪纹。

异彩奇文相隐映，转侧看花花不定。

昭阳舞人恩正深，春衣一对直千金。

汗沾粉污不再着，曳土踏泥无惜心。

缭绫织成费功绩，莫比寻常缯与帛。

丝细缲多女手疼，扎扎千声不盈尺。

昭阳殿里歌舞人，若见织时应也惜。

28

缭绫是一种精美的丝织品，这种丝织品在唐代达到巅峰。

缭绫产自越溪，也就是今天的江南，由越地贫寒人家的女子织绣而成，然后运往洛阳。缭绫如此闪耀夺目，瑰丽绚烂，在所有的丝织品中无与伦比。罗、绡、纨、绮，这四种也堪称精美的丝织品，都远不能与之比拟。

一匹四十五尺（约十五米）的缭绫高悬，就像天台山上的瀑布在明月下飞泻，闪闪寒光，耀人眼目。缭绫的白底如烟雾缥缈，质感轻柔，光泽透明，闪烁不定，花色清淡，色泽明艳。从不同的角度去看缭绫，就呈现出不同的色彩与花纹图案。其工艺水平达到如此惊人的程度，这同时也反映了唐代江南丝织业的繁荣鼎盛。

也许有人会想，这会不会是李白"白发三千丈"式的夸张呢？然而，白居易诗词的风格与李白迥异，李白潇洒恣意，而白居易提倡"文章合为时而著,歌诗合为事而作"，其诗词风格浅切平易。简单说，李白是浪漫主义流派，白居易则是现实主义流派。所以，作为现实主义诗人的白居易，应该是言之有物。

另外，还有一个证据，《资治通鉴》"唐中宗景龙二年"记载：安乐公主"有织成裙，值钱一亿。花绘鸟兽，皆如粟粒。正视、旁视，日中、影中，各为一色"，所言裙裾的花色与移步换景的绮丽，就可与此相参证。

◇ 胸前如雪脸如花

盛世唐朝。

无法想象中国历史上，要是抽去唐朝这一章节，会怎样？唐朝的繁荣鼎盛，用最简单的比喻，那就是世界上最富裕最发达的国家，也就是相当于当今的美国、意大利、瑞士、法国、英国的结合体。

盛唐的大气，也影响到了江南的服饰。因为经过隋朝的漕运，唐时的经济中心已经转至江南，江南的贡品源源不断通过漕运运往京城。

此时是中国服饰演变史中最为精彩的篇章，其冠服之丰美华丽，装饰之奇异纷繁，都令人目不暇接。

女子服饰最大的变化，是袒领的出现。

袒领，通俗的说法，就是低领，这个领子有多低，据说，低到了现在职业女性穿上后不敢出门、潮女穿上后也会感到脸红的地步。

唐代女子依隋之旧，喜欢穿短襦，上着长裙，裙腰提至腋下，一绸带系扎。上襦很短，成为唐代女服的特点之一。袒领短襦的穿着效果，一般可见女子乳沟，也就是电影《满城尽带黄金甲》中所展示的丰乳形象。这是中国服饰演变中较少见到的服饰和穿着方式。这种穿衣方式在江南地区也很流行，因为当时的仕宦贵妇都垂青这种着装。方干《赠美人》诗："粉胸半掩凝晴雪"、欧阳询《南乡子》诗："二八花钿，胸前如雪脸如花"等诗句描写的就是这种着装。

◎ 簪花仕女图（局部）（唐 周昉）

◎ 穿黄色龙袍的康熙像

◇ 袍如烂银文如锦

中国人重视服饰颜色，如根据四时的变化，"春著青，夏著赤，季夏著黄，秋著白，冬著玄"。根据喜庆与悲哀，从而喜事穿红，丧事服白，甚至群臣等级、百工标志都用服色来区分。

中国至隋时还没开始有严格限定非皇帝不许穿黄衣，如《隋书·礼仪志》载："百官常服，同于匹庶，皆著黄袍，出入殿省。高祖朝服亦如之。"而后"唐高祖武德初，用隋制，天子常服黄袍，遂禁士庶不得服，而服黄有禁自此始"。特别是一次"洛阳尉柳延服黄衣夜行，遭部人所殴，故一律不得服黄"。从那以后，"黄袍加身"即意味着掌握君主大权，赵匡胤的例子最为突出。晚清时，幼年溥仪见到弟弟袍里儿的黄色都觉得不可容忍，黄色在中国可谓至尊至上。

31

袍衫在隋代已开始流行，流行之初，是有一定社会地位的人穿服，据《新唐书·五行志》：天宝初，至唐太宗时期，就连庶民都可以穿服，只是服色区分高低贵贱。

唐朝明确规定，除天子外各色人等一律不准服黄。一般士人未进仕途者，以白袍为主，曾有"袍如烂银文如锦"之句。

烂银就是沙银。它比银的质地要硬，因为里面加了合金，类似于藏银，没有纯正的银子那么白，光辉偏暗。

满腹锦绣文章的翩翩少年，身着银灰色的长袍，在江南的白墙黑瓦、小桥人家中走过；在木桨的划水声中、在浣衣的棒槌声中、在江南女子的婉约温柔的语调声中、在市井的喧嚣声中走过；在燕子呢喃蹁跹飞过的屋檐底下、在书声琅琅的学院书堂里、在布局精巧秀美的园林间、在坊间长袖舒展花簪欲堕中走过，一路走向京城，走向大唐的盛世天下。

◇ 坐时衣带萦纤草，行即裙裾扫落梅

唐朝，做一名江南女子，即便不是千金小姐，就是一个小家碧玉，也是令人向往的吧！不为别的，只为那里飘逸温和的气质和精美的长裙轻衫。

褥的袖子初期有宽窄二式，盛唐以后，因胡服的影响减弱，因而衣裙逐日加宽，袖子放大。文宗即位时曾下令：衣袖一律不得超过一尺三寸（约43.3厘米），但"诏下，人多怨也"，衣袖反而日趋宽大。

衫，也是江南女子的常服之一。从温庭筠诗句"舞衣无力风敛，藕丝秋色染"和元稹诗句"藕丝衫子柳花裙"，以及张佑诗句"鸳鸯绣带抛何处，孔雀罗衫付阿谁"，欧阳炯诗句"红袖女郎引相去"等处来看，唐代女子着衫非常普遍，而且喜欢红、浅红或淡赭、浅绿等色，并加"罗衫叶叶绣重重，金凤银鹅各

一丛"的金银彩绣为饰。

　　裙子，是当时女子非常重视的下裳。制裙面料一般多为丝织品，但用料却有多少幅之别，通常以多幅为佳。有些可以裙腰提至胸前，而不必再着短褥，有的可以上身仅着抹胸，外面直接穿一件轻薄的纱衣或罗衫。

　　从大量的清凉透视装足可见唐代思想的开放。

　　其裙身之长，可见孟浩然之诗句："坐时衣带萦纤草，行即裙裾扫落梅。"卢照邻亦云："长裙随凤管。"

　　其裙身之丰，可见李群玉诗"裙拖六幅湘江水"。裙子颜色一般尽人所好，多为深红、杏黄、绛紫、月青、草绿等，其中石榴红裙流行时间最长。除此之外，还有间色裙，裙色鲜艳，多中求异。

　　而江南女子对白色、绿色衣服甚为钟情，不仅有闲阶层爱服白衣，劳动阶层的妇女也同样偏好白色衣衫。如武元衡《赠道者》："麻衣如雪一枝梅，笑掩微妆入梦来。若到越溪逢越女，红莲池里白莲开。"《插田歌》中咏道："农妇白纻裙，农父绿蓑衣。"

　　王昌龄的《采莲曲》："荷叶罗裙一色裁，芙蓉向脸两边开。乱入池中看不见，闻歌始觉有人来。"荷叶罗裙就是绿罗裙，可见绿色也是江南女子喜爱的颜色。除了

◎ 《韩载熙夜宴图》局部
（五代 顾闳中）

颜色之外，江南女子还穿着印有花纹的服饰，这表明唐代江南地区女子纺织水平的高超。有罗虬《比红儿诗》为证："薄罗轻剪越溪纹，鸦翅低从两鬓分。"

由于江南距北方较远，且江南地区的文化传统更为浓厚，思想比首都洛阳也相对保守，所以胡服与男装在江南受到抵制，未能像在洛阳那样流行开。

◇ 人比黄花瘦

帘卷西风，人比黄花瘦。

两宋，是中国女子服饰的一个分水岭，历史潮流至此，出现一百八十度大逆转。唐代尚体态丰满，晚唐女服更宽大拖沓，宋代女装则一改唐风，讲求瘦长，以显露身材之苗条。

南宋以后，肌肤若隐若现的薄纱衣不见了，代之的是紧密掩住脖颈的高领上衣，外面罩长袍，长袍外还要穿件"襦"，层层包裹。一种保守的衣饰风格逐步在中国形成，直接影响了以后至清的服饰——汉族的服饰基本定型。

仿佛前面所有的风格特色都被否定，历史从这里又重新书写。

李清照，中国词史上最负盛名的女词人。如果不是身遭国难，被迫南渡，或许，她不会辗转流离到江南。江南的风光虽然秀美，但对李清照而言，有的只是对往事的追忆、生活的无奈和抹不去的浓浓的乡愁。想必，李清照新婚后，居家寂寥，写下"帘卷西

◎ 李清照（1084~约1151）清人绘

风，人比黄花瘦"之句时，也是以自己的纤瘦为美吧!

还有那句千年绝唱"衣带渐宽终不悔，为伊消得人憔悴"，这里的憔悴必定不是指容颜苍老，而是身形消瘦清减，而衣带渐宽中似乎也蕴涵着某种秘而不言的性感与妩媚。

这无疑和宋代以瘦为美的标准暗合。自此，中国女子，尤其是江南女子，不再以肥大丰腴为美，而要让自己消瘦，保持形体的纤瘦与骨感。女子那种雍容恣意、自得随意的气派风度，正在被男权加理学的社会所束缚。女为悦己者容，千辛万苦瘦腰身，只为君顾盼。

宋人绘《瑶台步月图》、《花石仕女图》以及偃师酒流沟出土的宋砖刻妇女，都是这种时装的写照。

◎ 瑶台步月图（宋 陈清波）

◇ 裙拖六幅山水

> 裙拖六幅湘江水，鬓耸巫山一段云。
>
> 风格只应天上有，歌声岂合世间闻。
>
> 胸前瑞雪灯斜照，眼底桃花酒半醺。
>
> 不是相如怜赋客，争教容易见文君。

"裙拖六幅湘江水"是说裙子像湘江水一样柔滑闪亮（因为是上好的丝绸面料），"鬓耸巫山一段云"是说头发高高梳起就像巫山的云一样。

宋代江南女子在保持晚唐五代遗风的基础上，时兴"千褶"、"百迭"裙。

裙式修长，裙腰自腋下降至腰间，腰间系以绸带，并配有绶环垂下。"六幅"指的是裙子的做法，有"八幅罗裙"、"六幅罗裙"的说法，就是一种样式，没什么典故的。裙式讲"百迭"，裙子用六幅、八幅甚至十二幅纱罗拼接而成，现在的裙子也能看出是几片布拼和做成的。古时候织布技术有限，一幅布的宽度是一定的，一条裙子要用六块这样的布做成，可见裙摆是比较宽的，行动自然流畅，犹如春水微皱，诗云"裙儿细褶如眉皱"。

裙色比一般上衣鲜艳。其中有"淡黄衫子杏花裙"、"碧染罗裙湘水浅"、"草色连天绿色裙"，绚丽多彩。

"裙边微露双鸳并"、"绣罗裙上双鸳带"。双鸳显然是说双脚，即裙长只见裙摆下隐隐露出绣花鞋尖。

"白练轻轻裹，金莲步步移。"宋代女子服饰发生的另一个大的变化是裹足流行。当时江南缠足的女子大多为大家闺秀、小家碧玉，至于劳动妇女则没有这样的束缚，保留着天足，以便进行耕作等重体力劳动。

◎ 《歌乐图卷》局部（南宋 佚名）

◎ 第三章

衣被天下

　　吴地贵缟，江南自古就有种桑养蚕的传统。明清两代，江南设置织造局，民间织造也兴盛繁荣，出现了最早的资本主义萌芽。远销海外的丝绸，带回了滚滚白银，创造了一个白银时代，也创造了江南的富庶与繁华。棉布的出现，实现了真正的衣被天下的梦想，上有天堂，下有苏杭。

苏湖熟，天下足

封建社会中，民以食为天。

每到江南地区的稻子成熟，籴米的商船便积聚苏杭，然后鸟兽散般驶往各个地方。沾染着江南软糯香气的白米，就这样源源不断地从悠长的水道上运出，船只首尾相连，蔚为奇观。

苏杭，是一个多么富庶的地方！

南宋小朝廷，偏安杭州。鸵鸟心态的政权，失国离家的屈辱悲痛，在一种自我麻痹随遇而安的状态下，继续。而江南的富庶繁华，无疑助长了这种今朝有酒今朝醉的心态。

然而，就是在这种朝廷不作为的环境下，江南经济迅猛发展一日千里。

于是，南宋起，江南流传出这样一句话："苏湖熟，天下足。"

此谚语自南宋开始流传，宋高宗和宋孝宗兴修了太湖地区水利，开河口导湖水入江海，并设置闸门调节水量，修筑堤岸，抵御风涛；又使用了新农具"连枷"进行脱粒，苏湖一带一年两熟。江南，自此成为全国的经济中心。

南宋以前的江南是一片荒瘠，《淮南子·主术训》有"夫民之为生也，一人跖末而耕"的记载，很多地区生产非常原始，刀耕火种，生产力极其低下。《盐铁论》记载，江南地区的贫穷百姓赤脚，几乎吃不起盐，以至于淡食。这些记载与当时北方的繁荣，形成了鲜明的对照。

晋南北朝之后，南方经济有了巨大的发展，经济重心开始南移，逐步形成南北经济并驾齐驱的局面。

三国时，孙吴境内"国税再熟之稻，乡贡八蚕之锦"。稻子一年两熟，丝绸也很发达，均作为上供朝廷的贡品。

到东晋南朝，农业继续发展。据《史书》记载，沿长江建康（南京)到姑苏一带，开辟出来的田地，丰硕肥沃，一望无际，碧绿葱茏；连片的高屋豪宅，梁宇相接；田野间的小路，纵横交错，如诗如画。

◎ 京杭大运河（模型）

© 杭州西湖三潭印月

到了隋唐，南方经济又跃上一个新的台阶。农具有许多改进，曲辕犁得到了推广，筒车也在南方各地水田得到使用。水利灌溉事业有明显进步。据《新唐书》载，唐后期全国共修水利，江南几乎占其一半，居各道之首。

由于南方经济的发展，唐代后期，国家财政收入几乎全部来自江南各道，形成了"赋之所出，江淮居多"的局面。

两宋时，中国古代经济重心已南移到长江中下游以南地区。南方的手工业生产已超过北方，矿冶业、纺织业、造船业，南方绝对发达于北方。这些都推动了南方商业的繁荣。南方兴起一批繁荣的都会，如南宋时的都城杭州，成为全国最大的都会。

◇ 都门不逮

到了"苏湖熟，天下足"的宋代，只要苏杭太湖流域不遭遇天灾人祸，稻谷丰收，桑蚕成熟，全国就富足了，全国人民吃饭穿衣，两大基本生活要求就解决了。

◎ 杭州弘一故居

◎ 杭州胡雪岩故居

白居易在唐宝历元年（826），从杭州刺史任上调到苏州当刺史。到了苏州，他被眼前的繁华富足震惊了，立即发出"人稠过杨府，坊闹半长安"的惊叹。

要知道长安在封建知识分子眼中的分量，"西北望长安"，庙堂之高对他们的吸引，可以说就是他们全部价值的体现。历来知识分子都渴望能"居庙堂之高"，"兼济天下"，实在没有办法了，才会"处江湖之远"，"则独善其身"。所以，白居易能发出这样的感叹，不能不让人感到当时苏州的富庶与奢华。

当时的苏杭就像一个巨大的摇篮和温床，川流不息的商人往来贸易，四面八方的风俗交流融合，南来北往的文化冲突碰撞，几乎具备了一个城市发展成一个大都市的全部条件。

这只是唐朝的光景，而到了南宋末的13世纪70年代，杭州地区人口已经超过百万，成为当时全世界最大的城市。

同时，手工业发展兴盛，造船、陶瓷、纺织、印刷、造纸、酿造等手工业作坊遍布。当时，除了御街、荐桥街、后市街等繁华的商业区以外，还有许多专业性的行市，如米市、肉市、药材市、丝绸市、珠宝市以及木行、竹行、海鲜行、水果行等等。

吴自牧《梦粱录》一书的记录："杭城大街，买卖昼夜不绝，夜交三四鼓，游人始稀；五鼓钟鸣，卖早市者又开店矣。"市场繁盛，可见一斑。

除此之外，还有各种商品交易的盛会。如每年正月十五举办的"灯市"，不仅汇聚了邻近州县的商人，而且吸引了不少海外舶商，"傍十数郡及海外商贾皆集，玉帛、珠犀、名香、珍药、组绣、髹藤之器，山积云委，炫耀人目；法书、名画、钟鼎、彝器、玩好、奇物，亦间出焉"。

旅游业也获得发展，酒楼、茶馆、旅舍，以及"瓦舍"，都在城内外各处开设起来。今仲安桥以南的"北瓦子"，是全城最大的"瓦舍"，内有剧场十三座，昼夜上演各种不同曲艺。

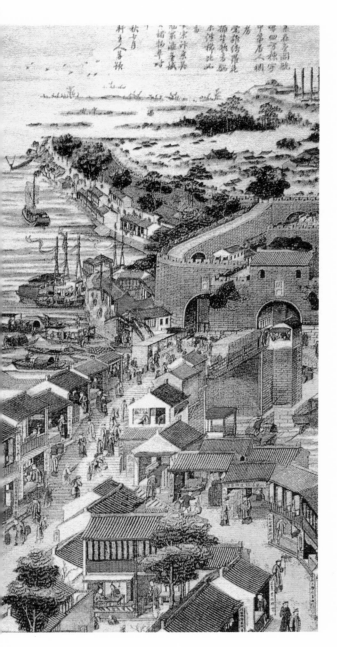

虽元朝军队曾占领了杭州，并且进行了许多破坏，但是当意大利旅行家马可·波罗在13世纪末到达这座城市时，仍将其称之为"世界最名贵富丽之城"。

后来乾隆时礼部尚书、协办大学士孙嘉淦，在陪皇上南巡后，在《南游记》中这样写道："上自帝京，远连交广，以及海外诸洋，梯航毕至"，"居货山积，行人流水，列肆招牌，灿若云霞，语其繁华，都门不逮"。苏杭交通广泛，自皇城到海外，巨大的数层商船都汇聚到这里，各种珍奇货物堆积如山，行人密织如流水川流不息，市场商铺的招牌，闪耀着光辉，如同云霞般灿烂，若说起苏杭的繁华，恐怕京城也比不上。

◎ 苏州桃花坞木版年画《姑苏阊门图》（清 雍正）

这是以西泽风格画江南街景的作品，从中可见"茶室"、"粮店"、"杂货"、"三鲜鸡汁大面"等招幌。

衣被天下

43

采桑城南隅

> 日出东南隅，照我秦氏楼。
>
> 秦氏有好女，自名为罗敷。
>
> 罗敷善蚕桑，采桑城南隅。

这首古代民歌有着自由自在的气息，没有韵律辞藻的约束雕琢，似乎可以触及上古时期那种古朴动人、随意自然的风气。

这首《陌上桑》几经变迁。最早见于南朝沈约编撰的《宋书·乐志》，题为《艳歌罗敷行》；南朝徐陵编辑的《玉台新咏》也收载了本诗，题为《日出东南隅行》；赵宋时的郭茂倩编辑的《乐府诗集》，将本诗收入《相和歌辞》，又题为《陌上桑》。

这首民歌形成时的都城，是与苏州一水之遥的南京，所以，诗中的采桑场景，当属以苏杭地区为中心的江南地区。

《史记》中有关于吴楚边境发生"争桑之战"的记载。吴越两国为了争夺一块桑地而兵戎相见，可见蚕桑对两国的重要。

以后，在史籍中也有关于吴地生产丝绸的记载，《左传》中记"吴地贵缟"，表示春秋时期吴地所产丝织已有较高的声誉。《三国志》中有吴丝、吴纻出口到日本和朝鲜等地的记载。

但是，当时丝绸生产主要由官府控制，丝绸产品主要供皇家和官府使用。国家明令禁止普通百姓穿着绫罗绸缎，只能着麻布衣服，称"布

古版画（明 宋应星《天工开物》）

◎ 取茧

◎ 老足

◎ 择茧

◎ 山箔

衣"。明代中期以后，形势大变，民间织造技术的提高，产量的增加，成为丝绸生产的主流。民间穿着丝绸服装也成为一种时尚，甚至皇室用品也要到民间采购。

明代江南农民因地制宜，发展粮食、棉花和蚕桑生产，大面积改稻田为棉田，改粮地为桑地。江南地区纺织业也随之发达，"民以织作为生,号称衣被天下"。

◇ 耕织图

《耕织图》始作者为南宋时楼俦。南宋偏安不久，宋高宗屡次"劝课农桑"。楼俦时为于潜令，常走入民间，了解农桑。想必是当地农耕桑植的富足安乐，让这位县令画家才思泉涌。他以连环图的形式，绘制《耕织图》，呈上朝廷。画中男耕女织的富足美满，让宋高宗深为感动，于是，他亲自接见楼俦，一时间，《耕织图》名动朝野。

《耕织图》分为耕图和织图两大部分，耕二十一幅、织二十四幅。此后，每幅画又配上五言诗。南宋时，各州府衙均绘耕织图，此后的历代都受朝廷推崇。

楼俦的原作没有流传下来，现存的《耕织图》中，清宫廷画师焦秉贞的作品最为有名，这即是现存的《御制耕织图》，保存在故宫博物院。

《蚕织图》是织图的一部分。

《浴蚕》中"时节过禁烟，小雨浴蚕天……盆池弄清泉"，清明节前，要用泉水洗净蚕卵，清除蚕卵上附着的病虫卵。

《下蚕》中"谷雨无几日，华蚕初破壳"，谷雨后，过不了几天便可收蚕。

《喂蚕》中"蚕儿初饭时，桑叶如钱许"，给幼蚕喂桑叶，要选择那些细如铜钱的嫩叶。

在《采桑》中"筠篮各自携，层梯高倍寻"，采摘桑叶，要借助层梯，爬上树梢。

古版画（明 宋应星《天工开物》）

◎ 浴蚕图

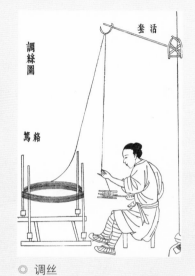

◎ 调丝

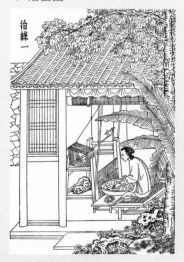

◎ 织丝图一

◎ 织丝图二

《窖茧》中"盘中水晶盐，井上梧桐叶，陶器固封泥，窖茧过旬浃"，结茧之后，将蚕茧和盐放至坛中，用梧桐树叶子相隔，再用泥封坛口，藏入地窖内，使蚕进化成蛾，晚十多天，延长缫丝时间。这是因为蚕茧缫丝，需要在蚕羽化前，这时的蚕丝才清洁完整如初。

　　另《蚕织图》中，还记载了缫丝织绸机具。如我国最早的脚踏缫车，即此由手摇缫丝车演变而来。该书还绘有一部大型丝织提花机。这种织机有双经轴和十片综，上有挽花工，下有织花工，两人配合，能织造出各种复杂花纹。

◎ 缫车 古版画（明 宋应星
《天工开物》）

富庶由此生

◇ 江南织造

江南由于丝绸的发达，越来越受到朝廷的关注。

明代开始，政府在江南设立了江宁、苏州、杭州三处织造处，明末停废。

清顺治二年（1645）恢复江宁织造局；杭州局和苏州局均于顺治四年（1647）重建；顺治八年（1651）确立了"买丝招匠"制的经营体制，并成为有清一代江南三织造局的定制。三织造局重建时，并不是经常维持生产。康熙七年（1668）以后织造始逐步走上正常的途径。

苏州织造局分设有织染局（北局）和总织局（南局）。局内织造单位分为若干堂或号，每局设头目三人管理，名为所官。所官之下有总高手、高手、管工等技术和事务管理人员，负责督率工匠，从事织造。

江南三局重建之初，曾一度袭用明制，派遣织造太监督管。顺治三年（1646）改以工部侍郎一员总理织务，很快又改为选内务府郎官管理江宁、苏州、杭州三处织造局，名曰"织造"，实为皇帝的亲信和耳目。

49

© 江南丝绸

曹雪芹的祖父便是江宁织造总督，他家成为乾隆数次下江南的行宫。从《红楼梦》中对众多华服美裳丽质仙葩女子的描写中，可隐约看见清代江南织造之繁荣鼎盛。

清代江南织造三局，从17世纪40年代重建时起，到18世纪40年代经过一度调整生产时为止的一百年间，各局的设备规模不断缩减。

由于清廷长期大量搜刮缎匹，已使内务府和户部两处的缎匹库存达饱和状态，不论是上用缎匹还是赏赐缎匹都已过剩，其中仅积存的杭绸一项，就足支百年之用。这样，从道光二十四、二十五年(1844、1845)起，杭州局和苏州局的生产逐渐趋于停顿。

◇ 比户纺织，佣者云集

鸡鸣入机织，夜夜不得息。

东汉末年，一个叫刘兰芝的民间小女子，留给后世人无数的喟叹与嗟伤。她勤劳美丽，善于纺纱织锦，同时也透露出当时家庭纺织的兴盛。

织锦女工很早就诞生了，虽然纺织的资本主义萌芽直至明清才出现，但以织锦谋生的女工自古就有。在丝绸之路确立后，长安成为丝绸输出地点，织造业发展迅速。

班固写的《汉书·食货志》中有如下的记载："冬，民既入；妇人同巷，相从夜绩，女工一月得四十五日。"这里虽没有提及作坊，但明确的白班与夜班的计算，却领先西方国家几百年。

南宋时，在文思院附近出现了一大批民营丝织机坊。晁补之在《七述》中记述当时杭州丝织业的盛况："杭故王都，俗尚工巧……衣则纵续绮娣，罗绣毅缔，轻明柔纤，如玉如肌，竹窗轧轧，寒丝手拨，春风一夜，百花尽发……"

江南的丝绸极为丰富，不仅运往京城，衣被天下，而且还出口创汇。其纺织之盛况，曾有"东北半城，万户机声"之语。倾城上下，街头巷尾，"百室机房，机杼相和"，以"鸡鸣"为号，昼夜繁忙。

"绫锦纻纱罗绸绢，皆出郡城机房，产兼两邑，而东城为盛，比户皆工织作，转贸四方，吴之大资也。"嘉靖年间的《吴邑志》这样记载明中叶苏州东北半城，专业丝绸生产区域的景况。

《沈氏农书》也说，农民织绢，"若自己蚕丝，利尚有浮"。

明代初期，大规模的手工作坊还比较少。随着商品经济的发展，到明代中期，大型作坊大为增加。到了清代，大批工人"无主者，黎明立桥以待，缎工立花桥，纱工立广化桥，以车纺丝者曰车工，立旅澳坊，什百为群"。

不仅丝织业，棉纺业也是如此。许多农民就是"植棉以始之，成布以终之"。

据当时浙江一份奏报："现细查苏州间门一带，充包工头者共有三百四十余人，设立瑞坊四百五十余处，每坊容匠各数十人不等。"按这一记录推算，当时苏州的雇佣劳动者至少有两万人。

棉纺织的发展，带动了生产工具和染整加工的专业化，延长了产业链。大量的雇佣工人，形成了热闹的市井氛围。盛泽镇"中元夜，四乡佣织多人，及俗称曳花者约数千计，汇聚东庙并升明桥，赌唱山歌"。

© 江南纺车

那时，苏杭民间丝织业不仅规模大，而且已能织造某些精巧名贵的织品。织造的发展，带动了众多相关行业的发展。纺车、绽子与布机，各城镇均有生产，青浦县的"金泽锭子谢家车"最负盛名。棉布漂染有蓝坊、红坊、漂坊、杂色坊等分工。踹布原附设于染坊，清代后染踹分离，各自成业。染坊、踹坊①大都设于城镇，苏州最为集中，清雍正间，有染坊四百五十余处，染踹工匠"总计二万余人"。

黄道婆

古往今来，中国自称"华夏"。《尚书》解释道："冕服华章曰华，大国曰夏。"
其大意是：人人穿着华美衣服的大国。

一个民族可以这样冠名，可见穿什么衣服兹事体大。

可是，在棉花普及之前，天下人人穿暖，仍然是一个美丽的梦。因为丝织品并不耐寒，且工艺复杂，价格较贵，未能广泛普及。

改变这一现状的，是一位阿婆，后被人称为"黄道婆"。今天，在上海松江乌泥泾黄道婆纪念馆的门楣上，依然高悬着那震古烁今的四个大字："衣被天下"。

据说，在混乱的宋代末年，松江乌泥泾的一个童养媳出逃，无意中跳上了一艘海船。那艘海船把她带到了遥远的海南岛，她就在那里生活了三十年，学会了种棉花、纺织棉布。那时的海南，可是世界上棉纺技术最成熟的地方。

三十年后，这位阿婆终于回到了故乡。她带回了棉种，并教当地的姑娘妇女种棉和纺织棉布技术。不多久，"乌泥泾被不胫而走，广传于大江南北"。

◎ 黄道婆像

---

① 踹坊：亦称"踹布坊"、"踹布房"，进行棉布整理加工的作坊。踹坊的业主是包头，清初苏州踹布业中，一个包头往往设坊数处，所以每坊又设坊长，进行管理。踹布工匠脚踏菱角样式巨石，左右滚动，使布质紧密光滑，劳动强度很大。

◎ 丝绸制品

◇ 湖丝衣天下

　　东南形胜，三吴都会，钱塘自古繁华。烟柳画桥，风帘翠幕，参差十万人家。云树绕堤沙。怒涛卷霜雪，天堑无涯。市列珠玑，户盈罗绮，竞豪奢。

　　"市列珠玑，户盈罗绮"，从柳永的词中可见元代江南地区市场的繁华、市民的富庶。由于"珠玑"和"罗绮"都是女子所用之物，所以词中还隐约透露此时江南的声色之盛。

　　江南地区绸缎遍及全国。清乾隆时，杭州"饶蚕绩之利，织工巧，转而之燕之齐之秦晋、之楚、蜀、滇、黔、闽、粤，衣被几遍天下"。

　　不仅如此，蚕丝的销售在全国范围亦广。江西织葛，福建纱绢，山西潞绸，广东粤缎，均需掺用湖丝。"湖丝衣天下，聚于双林，吴越闽番至于海岛，皆来市焉。五月载银而至，委积如瓦砾，吴南诸乡，岁有百十万之益"。

　　当时全国的布帛丝织，几乎全都要倚赖江南蚕丝，东南西北各地的商船，停泊在京杭大运河上，船上满载白银，竟如建房的瓦砾一般，堆积如山。

　　许多中外经济学家认为，在一个4.3万平方公里的地区内，农业和手工业的发展，竟能满足国内外从初级产品到最终产品如此巨大的商品需求，在工业革命前的世界历史上，无疑是罕见的。

江南丝绸不仅内销，还是对外贸易最主要的商品，是出口创汇的主要渠道。

顾炎武在《天下郡国利病书》中说："凡南北舟车，外洋商贾，莫不毕集于此"，南洋各国，"皆好中国绫罗杂缯，服之以为华好"。

日本的丝绸也仰赖中国，"取去者其价十倍"，在江南买的丝绸，到日本后就身价十倍。清代朝廷实行闭关锁国的政策，明令禁止民间外贸活动，但巨利的诱惑让商贩们铤而走险。他们甘冒"枷号"、"杖责"、"徒三年"、"发边卫充军"、"船只货物俱入官"等种种严刑苛罚，经常装载"纺丝、绫丝、紬丝等价值万余两货物"，东渡日本，进行贸易。

不仅在亚洲，江南丝绸通过海上丝绸之路，横渡太平洋，远销美洲。根据《新唐书·地理志》记载，唐时，我国东南沿海有一条通往东南亚、印度洋北部诸国、红海沿岸、东北非和波斯湾诸国的海上航路，叫做"广州通海夷道"，这便是我国海上丝绸之路的最早叫法。当时通过这条通道的外输商品主要有丝绸、瓷器、茶叶和铜铁器四大宗；往回输入的主要是香料、花草等一些供宫廷赏玩的奇珍异宝。这种状况一直延续到宋元时期。到明初郑和下西洋时，海上丝绸之路发展到巅峰。

◇ 白银时代

明代，是我国历史上的白银时代。

明代江南地区商品经济迅速发展，需要一种与之适应的货币。因为铜钱量大价贱，易发生通货膨胀，而宋代政府发行的纸币，更缺乏保值功能。

白银，应运而生。

随着中国的茶叶瓷器丝绸大批出口，原产美洲的白银滚滚流入，直至19世纪30年代，中国对外贸易始终居于优势地位。当时的丝绸对白银的交易，让江南身价倍增。以至于江南的丝绸在当时不仅可以直接用来纳税，而且还可以代币，这使得华丽的丝绸，如同黄金、白银一样美好。

◎ 古银币

法国年鉴派大师布罗代尔，曾在他的巨著《15至18世纪的物质文明、经济和资本主义》中描述："美洲白银1572年开始一次新的引流，马尼拉大帆船横跨太平洋，把墨西哥的阿卡普尔科港同菲律宾首都连接起来，运来的白银被用于收集中国的丝绸和瓷器、印度的高级棉布，以及宝石、珍珠等物。"

而德裔美国学者弗兰克，在其震动国际学术界的著作《白银资本》里分析得更为深刻：

"外国人，包括欧洲人，为了与中国人做生意，不得不向中国人支付白银，这也确实表现为商业的'纳贡'。"

"'中国贸易'造成的经济和金融后果是，中国凭借在丝绸、瓷器等方面无与匹敌的制造业和出口，与任何国家进行贸易都是顺差。"

"在1800年以前，欧洲肯定不是世界经济的中心。"

1571~1821年间从美洲运往马里拉的白银共计4亿比索，其中二分之一或更多一些流入了中国。在16世纪中期到17世纪中期，一百年间，中国"丝—银"贸易获得了世界白银产量的四分之一至三分之一，创造了中国历史上从未有过的辉煌。

如此庞大的白银储备，使得在明代中后期，政府将白银纳入国家货币体系，规定使用白银缴纳税款。江南累积的白银，于是源源流入中央，遍及全国。

经济学家指出，苏杭地区，其土地只有一省之多，而其赋税，占有天下之半。以致江南七郡一州的赋税，为国家之根本也。且重赋之下，江南士民仍得各安生业，当时称"东南乐土"。

◎ 第四章

风流繁华地，
富贵温柔乡

　　诗歌、绘画、评弹、昆曲的浸润，让这处历来生产丝绸的地方，服饰日益趋于精美细致、奢靡华丽。风流才子唐伯虎站在苏州的阊门城楼赞叹："翠袖三千楼上下，黄金百万水西东。"苏州的失意才子冯梦龙，也言不尽江南锦绣。周庄的丝绸巨商沈万三走过他传奇的一生。而昆曲盛会，曲音亮彻，戏服华美，令观者销魂。

吴服奢靡天下最

　　十里黄金地，富贵温柔乡。

　　此语用来形容明清时的苏杭毫不为过。地理的优越，经济的繁荣，吸引着越来越多的官宦名士、才子书生。江南，似乎一夜之间充满了文化的清高与疏狂、隐世与豪放。

　　诗歌、绘画、评弹、昆曲的发展，浸润到江南的骨髓，让这处历来盛产丝绸的地方，服饰日益趋于精美细致、奢靡华丽，以至于"四方重吴服"，"吴服奢靡为天下最"。

　　《苏州府志·风俗》附录《汤文正公抚吴告谕》，批评苏州的浮华风气："衣食之原，在于勤俭。三吴风尚浮华，不安本分。胥吏屠沽，倡优下贱，无不戴貂衣绣，炫丽矜奇。"

　　《苏州府志·风俗》附录《陈文恭公风俗条约》记述：苏州妇女"身着绮罗绸缎，头戴金银首饰，已云华美。何乃衣裙必绣锦织金，钗环必珍珠宝石，以贵为美，以多为胜"，也斥责了苏州的奢靡之风。其意思是，身上穿着绫罗绸缎，头上戴着金银首饰，已经够华美了，何必还要在衣裙上绣锦织金呢？而且所戴饰物也必是珍珠宝石，且越贵越好，多多益善。

◎ 苏州拙政园

　　一个地方，有了大量的资源，还要有文化的滋养熏陶，这样，才不至于堆金积玉之时，暴露生活品位的缺乏与格调的低下。而江南的奢靡华丽，不仅因其经济繁荣，位置优越，风物优美，更因其大批文人群体点缀其间，散发出文人的魅力，提升着江南的文化品格。

　　江南籍的尚书、侍郎之类的大官连袂接踵，知府县令之流更如麇集。他们丰厚的收入，都会带回原籍，一部分购买田地，"以长子孙"，传给后代，所以江南地区缙绅地主最多。

　　另一部分则投入消费。江南商业发达，他们遂和商人一道，形成一个庞大的高收入群体，也是一个庞大的高消费群体。他们"好亭馆花木之胜"，大造豪宅与园林；又讲究衣饰，"戴貂衣绣，炫丽矜奇"，以至"四方重吴服"；同时还喜

61

好游玩，"游必画舫、肩舆、珍馐、佳酿、歌舞而行"；富室朱门更在风景名胜之区"竞为胜会"。

不仅如此，还有无数的外地文人迁入江南。明代《苏州府志》有记载的流往苏州的名人二百七十七人。外来的文人到苏州后，与当地的文人或寄居当地的文人一道，结诗社，广交游，放迹吴中山水，沾溉吴风，助长了苏杭服饰衣冠的奢华之风。

缙绅地主和文人的消费需求，大大促进了锦、丝、棉布、绸缎的发展，而商业和服务业也日益繁盛。如在苏州，"洋货、皮货、衣饰、金玉、珠宝、参药诸铺、戏园、游船、酒肆、茶座，如山如林，不知几千万人"。"上有天堂，下有苏杭"，此语虽出自宋朝，实已是一代强于一代。

◎ 苏州评弹

翠袖三千楼上下

◎ 《姑苏繁华图》刻漆台屏（现代）

◇吴中乐土

《红楼梦》开篇说道："阊门最是红尘中一二等富贵风流之地。"

这个阊门，正是苏州城内最繁华的地段。在苏州刺绣博物馆中有近200米长的《姑苏繁华图》，又名《盛世滋生图》，为清乾隆二十四年（1759）徐扬所作。形象地反映了从阊门、经山塘街到木渎的一线"商贾云集、居货如山积、贸易繁荣"市井繁忙的景象。山塘街当时是名副其实的"富人区"。士绅阶层"千金一笑，万钱一箸"。

> 世间乐土是吴中，中有阊门更擅雄。
>
> 翠袖三千楼上下，黄金百万水西东。

江南第一风流才子唐寅，曾发出这样的感叹。

历史悠久的苏州城，是太湖平原地区最为繁华壮阔的城市。

63

这里四季从无寂寥之日，寺如喧市，妓女如云，游客极盛，"春则西山踏青，夏则泛观荷荡，秋则桂岭，九月登高，鼓吹沸川以往"，文人绅士大多喜欢在虎丘一带"画船游泛，携妓登山"。

有所谓"青楼并峙，绮榭相连，妖姬窈窕，艳女婵娟，秾妆竞倚，粉黛争妍"等胜景，颇令时人倾倒。

"人生不向花前醉，花笑人生也是呆。"在一片繁华奢靡及时行乐的风气下，商贾官宦才子云集的江南，便徒增了几分暧昧的气息。特意寻欢或是仕途失意的士绅才子，寻芳逐蝶依红偎翠，于是青楼间的红粉佳丽，袅袅登场。

◇ 绝色董白

繁华如梦，红尘欢场。当时名扬全国数位名妓都出自山塘，脱胎于山塘间那一街一河的红栏绿水。其中最负盛名的莫过于董小宛、柳如是了。

◎ 苏州山塘

明末的山塘，董小宛十六岁，"才色为一时之冠"。风流才子冒辟疆初见之下，董小宛"淡而韵，盈盈冉冉，衣椒茧时背顾湘裙，真如孤鸾之在烟雾"。此后冒辟疆高中，花费三千两巨资，收她为小妾。

他人记载说，董小宛"天姿巧慧，容貌娟妍"，而且才艺出众，"针神曲圣、食谱茶经，莫不精晓"。性格恬静，喜好音韵。

然而，红颜薄命，董小宛尤为甚。明末，她陪冒辟疆辗转于离乱，九年后香销玉殒。然而，她死后，民间关于她的传说更盛，甚至有传她后来被清兵掳走，成了顺治皇帝的宠妃。

◇ 人生应如是

相比之下，柳如是则更是一个刚烈女子。

柳如是生于浙江嘉兴，自幼聪颖好学，秀骨清韵，不似凡尘中人。她却自小就被掠卖于苏州吴江为婢。后流离欢场，出没于山塘的桨声灯影之中，后位列"秦淮八艳"之首。一时才俊奔走枇杷花下，车马如烟。

柳如是二十三岁时，初见南明复社领袖、文坛泰斗、五十六岁的钱谦益，柳如是"幅巾弓鞋，着男子服，口便给，神情潇洒，有林下风"，钱谦益为之倾倒。次年，钱谦益专门为她建造绛云楼，该楼雕梁画栋，还藏有许多珍贵的书画古玩，实在是"金屋藏娇"。白发红颜，吟诗唱和，潇洒自如。

然而，时局动荡，美梦苦短。清军的铁蹄踏破山海关，大明王朝转瞬即逝。兵临城下之际，柳如是劝钱谦益殉节，然而，钱谦益"谢不能"。柳如是奋身跳入池塘，欲自沉，结果被一旁大惊失色的钱谦益拦住了。而这一情景，被钱的馆师沈明伦亲眼目睹。

柳如是的心死了。此后钱谦益变节入京做官，而柳如是则执意要留在西子湖

◎ 董小宛（1624～1651）（清 叶衍兰）　　◎ 柳如是（1618～1664）（清 叶衍兰）

畔的红豆楼隐居。

　　钱谦益暮年不甚得意，常恨曰："要死。"柳如是就正色骂他："公不死于乙酉，而死于今日，晚矣。"柳氏因此被时人称为"女中丈夫"。

　　而钱谦益死后，钱氏族人来到柳处索要钱氏家财，柳如是安慰众人后，入内室，长久不出，众人涌至内室，方见柳已自缢而亡，众人方始散去。

　　如今的杭州西湖，楼台依旧，翠袖已逝。然而空气中，恍惚留有那鹂音乍啼、翠袖舒展。如今的山塘碧波纯净，草木清新，一如那翠袖丝绸的光泽与婉转。想象当时三千翠袖的盛景，该有多少丝绸锦绣被运往这里，供红粉佳丽们挑选，又有多少丝绸被裁制成华服美裳，包裹出细致与婀娜。

◎ 杭州西湖

江南才子冯梦龙

　　提起江南的蚕桑丝绸，不能不提另一位苏州才子冯梦龙。他创作整理了《喻世明言》、《警世通言》、《醒世恒言》。这三部小说集，标志着古代白话小说的高潮。

　　冯梦龙，苏州长洲人，二十岁左右考上秀才，此后却久困科场，功名不遂；四十八岁左右开始编撰"三言"，明末陆续出版。除在外讲学当官，他的大多时光是在苏州度过的。可以说，冯梦龙是在苏州青山秀水的孕育下成长的，与苏州有着很深的渊源。经冯梦龙整理加工的"三言"，也自然流露出苏州的物产民俗、吴侬软语、桨声灯影、粉墙黛瓦。

◇ 言不尽繁华

　　明代的苏州十分富裕、繁华。苏州的阊门是繁华中心，而阊门附近的枫桥，更是繁华知名之处，不仅是因为《枫桥夜泊》中，诗句"月落乌啼霜满天，江枫渔火对愁眠"的传承，更是因为这里是古代渡口。

"三言"中描写当时的姑苏：

> 城连万雉，列巷通衢，华区锦肆，坊市棋列，桥梁栉比，梵宫莲宇，高门甲第，货财所居，珍异所聚，歌台舞榭，春船夜市，远土钜商，它方流妓，千金一笑，万钱一箸，所谓海内繁华，江南佳丽者欤。

《喻世明言·蒋兴哥重会珍珠衫》中说，陈大郎"一路遇了顺风，不两月行到苏州府枫桥地面。那枫桥是柴米牙行聚处"。"那伙同伴商量，都要到苏州发卖。兴哥久闻得'上说天堂，下说苏杭'，好个大马头所在，有心要去走一遍，做这一回买卖，方才回去"。

这里说明，枫桥是苏州的"柴米牙行聚处"、"大马头"。而正是由于这次枫桥之行，使小说中的两位男主人公——陈大郎和蒋兴哥相遇了，故事由此再生波折。

◎ 枫桥

风流繁华地，富贵温柔乡

69

◇ 言不尽蚕桑

苏州蚕桑业历史悠久，享有盛名，是苏州人生活中的重要部分，这深深地印证在"三言"的创作中。"三言"有许多篇目涉及丝绸，其中《醒世恒言·施润泽滩阙遇友》较为集中地体现了蚕桑业与苏州人生活的密切关系。

《施润泽滩阙遇友》中说：这苏州府吴江县离城七十里，有个乡镇，地名震泽，镇上居民稠广，土俗淳朴，俱以蚕桑为业。男女勤谨，络纬机杼之声，通宵彻夜。那市上两岸绸丝牙行，约有千百余家，远近村坊织成绸匹，俱到此上市。四方商贾来收买的，蜂攒蚁集，挨挤不开，路途无伫足之隙；乃出产锦绣之乡，积聚绫罗之地。江南养蚕所在甚多，唯此镇处最盛。有几句口号为证：

> 东风二月暖洋洋，江南处处蚕桑忙。蚕欲温和桑欲干，明如良玉发奇光。缲成万缕千丝长，大筐小筐随络床。美人抽绎沾唾香，一经一纬机杼张。咿咿轧轧谐宫商，花开锦簇成匹量。莫忧入口无餐粮，朝来镇上添远商。

书中还详细地描述了育蚕的过程：

那育蚕有十体、二光、八宜等法，三稀、五广之忌。

第一要择蚕种。蚕种好，做成的茧小而明厚尖细，可以缲丝。如蚕种不好，但堪为棉纩，不能缲丝，其利便差数倍。

第二要时运。有造化的，就蚕种不好，依般做成丝茧；若造化低的，好蚕种，也要变做棉茧。北蚕三眠，南蚕俱是四眠。眠起饲叶，各要及时。又蚕性畏寒怕热，唯温和为得候。昼夜之间，分为四时。朝暮类春秋，正昼如夏，深夜如冬，故调护最难。江南有谣云：做天莫做四月天，蚕要温和麦要寒。秧要日时麻

◎ 蚕

◎ 养蚕的匾架

要雨，采桑娘子要晴干。

　　小说还介绍了苏杭养蚕时节的风俗：

　　那养蚕人家，最忌生人来冲。从蚕出至成茧之时，约有四十来日，家家紧闭门户，无人往来。任你天大事情，也不敢上门。

　　蚕桑业的盛况、育蚕的经验、养蚕的风俗，事无巨细，面面俱到。这是只有多年浸淫其中的人，才能如数家珍地娓娓道来。

◇ 言不尽锦绣

　　《警世通言·宋小官团圆破毡笠》中，宋敦出场，身穿"一件新联就的洁白湖绸道袍"，髻上戴着一根"约有二钱之重"的银簪，苏州的奢靡之风，可见一斑。

　　除此之外，奢靡享受的风气还表现在对厚葬、赌博、房屋华美、壮仆美婢等的追求上，这种风气在"三言"中有突出的展现。

　　"三言"中对市民观念有很多体现，如市民多梦想着发横财、娶美妻，过上锦绣般的富庶生活。

嘉靖年间，盛泽镇上有一对夫妇，男的叫施复，妻子喻氏，在家开了一张绸机，每年养几框蚕，纺丝织绸。夫妻俩因养蚕得法，善于经营，"缫下来的丝，细圆匀紧，洁净光莹"，织出的绸因为光彩润泽，别人都出高价竞相购买。

几年就增加三五张绸机，日子过得渐渐滋润起来。然而，他们依旧省吃俭用，昼夜不停地劳作。后来又购得邻居家一所大房子，开起了三四十张织机，新讨了几房家眷小厮，把家业做得越来越大，日子也越来越美。

◎ 蚕茧室

君到姑苏见，春船载绮罗

◇ 姑苏水

江南之上，遍布着水塘湖泊，溪流河泽。江南的水，遍布神奇的褶皱。透明、轻巧、恍惚。

江南盛产丝绸锦绣，这些丝绸锦绣缝制成服饰，在女孩子身上，游走出细细柔软的褶皱。江南女孩子们身上的褶皱与江南水中的褶皱，有了某种隐秘的联系。这是怎样的一种暗合，大自然的奇妙与魅惑，常常超出言语的述说。

水滋养着江南。无法想象，江南如果没有这么多密集的水，将会是一个什么样的光景，抑或根本就不会有江南之名。

丝绸对于苏州就像一张巨大的织机，在漫长的岁月中，编织出了苏州城纵横的街巷和如网的河流，编织出了苏州独一无二的经纬。苏州的水网就像我们的掌纹，聚集了这座古老城市所有的信息；苏州的丝绸就漂泊在我们的掌纹中，给我们带来所有的光彩。

乾隆《苏州府志》载："吴地古称泽国，其水西自太湖，东入于海。郦道元云：东南地卑，万流所凑，涛湖泛决，触地成川，枝津交渠，故川日渎难以取悉信矣。"

苏州园林水景

◎ 吐丝的蚕

唐代诗人杜荀鹤《送人游吴》也曾写道："君到姑苏见，人家尽枕河。古宫闲地少，水港小桥多。夜市卖菱藕，春船载绮罗。遥知未眠月，乡思在渔歌。"

水的柔弱、趋下、不争，水的至清、守净，水的足己自盈，使得生活在水乡的苏州人深受启发，产生了自适、恬淡、内敛、不事张扬的心理和行为特征。生活于斯的人，总是行至从容、伸缩自如，保持着适度的节奏和平和的心态。

◇ 嫘祖

苏州的祥符寺巷中有一座修祖庙，那是苏州丝织业祭奠祖师轩辕黄帝的地方。最初丝织业认为丝织始于黄帝，但后代可能认为主司丝织的应该还是女性更为适合，所以渐渐演变为黄帝的妻子嫘祖。

现在，最经典、最权威、流传范围最广的传说当属"嫘祖始蚕"说了，人们称之为"蚕母娘娘"。据《史记·五帝本纪》记载，黄帝居轩辕之丘，而娶于西陵之女，是为嫘祖。

把嫘祖作为"先蚕"供奉，应该始于北周。

时光倒流到公元前两千六百多年前。暮春，风和日丽，嫘祖和众多侍女来到后花园的山坡上，在一棵茂盛的桑树下纳凉。忽然，一条正在吐着银丝的小虫吸引了她的目光。嫘祖被吐丝的小虫所吸引，她想要是能用这种美丽的丝线给黄帝织一件新袍该有多好啊。

于是，连续观察数日后，嫘祖让侍女将树上的蚕茧采下来，带回宫里。可是她研究了许久也没有找到将长丝抽出来的办法。也许是哪个侍女不小心弄脏了蚕茧，拿热水来洗，也许是把蚕茧掉进了盛有热水的陶罐里，在她急忙将茧子捞出来的时候，竟然无意中抽出了丝头，蚕丝由此进入人们的视野。后世人于是将嫘祖称为"先蚕"。

◇ 光阴

抛开传说，看看在现实考察中得到的苏杭丝绸印记。

1958年，苏浙交界的吴兴钱山漾新石器遗址出土了家蚕丝带和绢片。这是目前世界上出土最早的丝织品，距今四千五百年到四千七百年之间。

1959年，苏州吴江梅堰出土了有丝绞纹和蚕形纹的黑陶，距今4000年以上。

1972年，苏州吴县唯亭草鞋山，出土了三块已经炭化的纬起花绞纱罗纹织物，距今已经六千多年。

更为重要的是，1973年浙江余姚河姆渡新石器文化遗址出土了一个盅型雕器。这件距今七千多年的器物上刻着四条蚕纹，几条野蚕仿佛正向前蜿蜒，头部和身上的横节纹看上去非常清晰逼真。

在这些文化遗址中，还同时出土了大量的陶制纺轮、骨制梭形器、木质绞纱棒和其他木制、骨制的纺纱和缝纫工具。

由此可以推断，大约在五六千年前的新石器时代，苏杭一带的居民就已经掌握了原始的丝绸生产技术。

◎ 蚕纹象牙杖端饰（余姚河姆渡出土）

◎ 陶纺轮（余姚河姆渡出土）

◇织贝

　　春秋战国时期的《尚书·禹贡》篇记载了全国九州的物产和进贡情况，苏州被列的贡品中有著名的"织贝"，这是一种华丽高贵有着贝壳纹样的名贵锦帛。

　　北方晋国的大夫叔向南下吴国访问，史料中这样记载：

　　吴国人用丝绸装饰的船送北方大夫，岸上左右两侧都站着数百人，都穿着华丽的锦缎刺绣，外面披着狐皮袍子或是豹纹长裘。

　　在宏大的送别仪式中，丝绸纺制的锦绣服饰成为吴王炫耀国家实力的物件。

　　十年后，吴国派季札等人到中原各国考察回访，所带去的白锦赤纬丝织缟带，更是让中原郑州一带的人惊叹不已。

　　《左转》就记载了当时苏杭一带白如春雪、艳若桃花的锦绣类丝织物："吴地贵缟，郑地贵纻。"

　　三国吴时，丝绸生产在江南形成了第一次高潮。孙权专门颁布了"禁止蚕织时以役事扰民"的诏令，丝绸生产成为吴国的头等大事。那场著名的"赤壁之战"，想必指挥战争的大将周瑜，头戴苏州织制的纶巾，面对浩瀚江水，谈笑间，让曹操的几十万水军樯橹灰飞烟灭的吧。

◎ 周瑜

丝绸巨商沈万三

◇ 富可敌国

《金瓶梅》第三十三回中，潘金莲说过这样一句话："南京沈万三，北京枯树湾；人的名儿，树的影儿。"意思是说，人出名不过就是沈万三那样。

沈万三何许人也？这个元末明初的丝绸商人为什么享有如此高的声誉，以至于一部市井小说的人物都要引用他的名气？甚至，这个名字还在《明史》中有三处被提及。

就如现在的电影《寻找成龙》、歌曲《爱上周杰伦》，在一个重农抑商的封建社会，在一个没有现代化的传媒与宣传的封闭社会，一个丝绸商人竟然能够如此声名远播，不能不引起我们的好奇。

据史料考证，沈万三不是南京人，而是苏州周庄人，而且周庄以村落而辟为镇，实为沈万三之功。

这位靠丝绸外贸生意创下巨额财富的商人，在《纵横宇内的苏商》这本书中，被叙述其财产，说是"20亿两白银"。按照市场银子价格换算，一两银子市值200元人民币，那么这就是4000多亿人民币，折合487.8亿美元。据说，这个数字超过比尔·盖茨将家产捐献之前的全部财富。

当时，有许多关于沈万三如何富有的传说故事。其中最为典型的，便是聚宝盆和摇钱树。说沈万三家的聚宝盆日出斗金，而摇钱树则出银无数，似乎这样才能解释这个背井离乡的流民之子，如何一代就聚集如此财富，成为明朝首富。

◇ 白衣天子

沈万三一生经历了极端的大起大落，享尽了人世繁华，也饱尝了罕见的大喜大悲。

沈万三祖籍是浙江南浔人。元中叶时，他的父亲沈佑举家迁到了苏州周庄。沈佑生三子，三子沈富，字仲荣，号富荣，因其在家排行老三，所以又叫沈万三。沈家在周庄从事渔业、围垦，也做些贩盐、丝绸的买卖。

到了沈万三，他一方面继续屯田聚财，一方面把周庄作为贸易流通的基地，利用周庄附近西接大运河、东接太仓浏河的便利，把苏嘉杭一代的丝绸、陶瓷、茶叶等物品大量运往海外，通过"海上丝绸之路"进行贸易，主要贸易对象是高丽、日本和琉球，也有去南洋等地的。他使自己迅速成为"资巨百万，田产遍于天下"的江南第一富豪。

极盛时，沈家的土地占苏州府属田的三分之二。但是，更多的财富应该是以白银的形式储存了起来。

富可敌国的沈万三，自然知道政治作用的重要，资助张士诚在苏州建立大周政权，后张士诚为其树碑立传。

绸商沈万三毕竟是个商人，深谙钱和权的交易这种双赢的运作。对传统儒学中"溥天之下，莫非王土，率土之滨，莫非王臣"的那一套，他始终没有特别深刻的感受。

于是，在朱元璋击败张士诚之后，他以一个商人的单纯和豪气向朱元璋抛出橄榄枝，很快机会就来了。

　　朱元璋决定"高筑墙，广积粮，缓称霸"。六十四岁的沈万三怀抱着一万三千两白银入南京，奉命筑洪武门到水西门段城墙，即聚宝门，现今中华门，工程最为宏大，限时完成。

　　历时三年，沈万三提前三日完工。

　　庆功宴上，朱元璋致酒，所作慰问词竟是这样的："古有白衣天子，号曰素封，卿之谓也。"一个谁都猜忌的皇帝，竟然说自己治下的富翁是个民间的皇帝。

　　危险就在眼前，然而，单纯的商人沈万三，这位明朝甚至是中国历史上最聪明最杰出的商人，并不能领会这句话里寒光四溢的杀机。

◎ 沈万三故居

◎ 老丝绸庄

周庄

多年的商海沉浮，商业的思维已经根深蒂固地根植于他的思想中。不然，以他白手起家、历经商海风波、几近古稀之年的智慧与积淀，怎能不感知这位新主话中的寒意？

其实，早在朱元璋打天下时，沈万三首先输粮万担，献白金五千两，几乎充当了朱元璋军队的总后勤部。而朱元璋建国后，要他每年献白金千铤，黄金百斤，还命他造六百五十间廊房，养数十披甲马军，并对他的广袤田地征收重税。沈万三欣然接受，以他的经验，贡献越大，收益就越多。

◇ 大厦之倾

《明史·马皇后传》记载：苏州的富商沈富，出资帮助建筑都城的三分之一段，又主动提出帮助皇帝犒赏三军。皇帝大怒，说道："小小百姓，竟敢提出犒赏三军，这是想谋反啊，该杀。"马皇后说："沈富富可敌国，这样的富庶本身就不吉祥，不吉祥的人，老天是会降给他灾难的，陛下何必杀他呢？"这样，朱元璋才放了沈万三。

马皇后救了沈万三一命。

而后，朱元璋将沈万三的儿子沈茂打成蓝党。蓝党指功臣蓝玉之狱，硬指蓝玉谋反，牵连了几万人，沈万三也名列其中，被发配云南。云南离海很远，沈万三无法再从事海上贸易。

素封的沈万三斗不过莘封的朱元璋，白衣天子的力量几乎等于零。如果是太祖之孙建文帝，大约不会这样对待一个为活跃经济做出贡献的人。一个太强势的皇帝真的不是每个人都喜欢的。

后来，沈家遭受的接二连三的打击就更加顺理成章。大厦之倾，不过在转瞬之间。

明洪武十九年（1386）的春天，沈万三的两个孙子沈至、沈庄先后因逃避赋役而入狱。沈庄当年就死在牢中，沈家数代人苦心经营起来的庞大基业从根本上被动摇。

明洪武三十一年（1398），因其女婿顾文学与人起纠纷，被仇家告发沈万三长子沈茂曾与叛臣凉国公同谋。沈茂和顾文学同被发往辽阳充军，沈万三曾孙沈德全等六人被凌迟处死，沈氏家族有八十多人被杀。这次打击使沈万三家族彻底走向衰亡。

一位经营着丝绸外销，从海外赚回无数雪花银的巨富商人家族，从此销声匿迹。

此后明朝再也没出什么纵横捭阖的大商人，出的都是纵横捭阖的大宦官。对宦官，没有偏见，但还是要说，和商人比，他们是帝国的成本，不是利润。

而据说，沈万三从烟波浩渺的海上赚回的白银，后来都作为一项项赔款，悉尽散去。

沈万三，既然心在海上，就应该晚几十年去做郑和，那是帝国的舰队司令，一举一动都有随行的史官记录，威风凛凛。或许值得提一句，郑和来自云南。

花明雪艳石光如练

◇ 梦中人

"我拉了昆曲最浮面的那一层皮，那一层美感，来做红楼。"

新版红楼服装造型、鼎鼎大名的叶锦添，在谈自己创作的想法时，如是说道。

《红楼梦》前八十回中，有五十多处提到昆曲。生长在江宁织造府内的曹雪芹，应该从小耳濡目染过昆曲的文人雅韵。清雍正乾隆年间的南京，身世显赫的曹家府院自是少不了昆曲。所以，红楼中的消遣与优雅，很多都来自昆曲，甚至丫头们还发现有一个唱昆曲的小姑娘，肖似黛玉。

昆曲之美，有多少这样直接表露在《红楼梦》中，又有多少隐含在小说美苑仙境的意境描写中。或许，《红楼梦》中，那些非写实的部分，整体的美感，或多或少都与昆曲有千丝万缕的联系。曹雪芹在创作这部古典文学的巅峰巨制时，脑海中有多少昆曲诗意的特质。

叶锦添说，昆曲下面还有很多其他的东西，都不要，只要那一层皮，就美得不得了。用那部分很小的东西，来做整个红楼。那种美感有点华丽，连绵不断的图案和色彩，都是很柔和的，它有一个很深的色彩学，那是来自中国文化的深处。

昆曲兴盛之时，吸引着曹雪芹，昆曲衰落之后，又吸引了叶锦添。

今天，在一个喧哗浮躁的年代，又有多少人能屏气凝神，静心欣赏那气韵风雅，精致婉转的昆曲？

然而，不管是复原曹雪芹心中的红楼人物，还是出于美的意境的考虑，昆曲的服饰都是叶锦添绕不过去的一个美的宝库。

◇ 雅致之美

许多美好的东西沉淀入历史的长河，湮没沉寂，然而，真正美的东西，还是会随着滔滔浪花，在适当的时刻，光华乍现。

昆曲，衰落沉寂之后，又通过它的服饰之美进入了大师的视线，进而进入到大众的视线。而这产自江南的昆曲之美、昆曲服饰之美，又沾染凝聚了多少江南丝绸与江南气韵的美轮美奂。

昆曲之美，首先在一个雅字。它是文人消遣的乐事，是一种品味和风流的象征。很多人认为越剧已经很雅致了。但是，如果你去了苏州，和苏州的老人聊天，他们会告诉你，越剧的雅根本不算什么。

昆剧传习所的顾笃璜说：越剧的雅，只是些脂粉气罢了。昆曲才有真正的扑面而来的书卷气息。昆剧、越剧，这是产生于苏州、杭州一带的两个剧种，在北方人看来无甚差别，但细细品味又各不同。

越剧里，《梁山伯与祝英台》以男女对唱的形式来表达情爱，文辞和一般剧目相比，也算雅了：

© 昆曲服饰

87

英台：书房门前一枝梅，树上鸟儿对打对。喜鹊满树喳喳叫，向你梁兄报喜来。

山伯：弟兄二人出门来，门前喜鹊成双对。从来喜鹊报喜讯，恭喜贤弟一路平安把家归。

英台：清清荷叶清水塘，鸳鸯成对又成双。梁兄啊，英台若是女红妆，梁兄你愿不愿配鸳鸯。

山伯：配鸳鸯，配鸳鸯，可惜你英台不是女红妆。

但是，从这些唱词里可以寻找到宋词的趣味吗？不能。

越剧的好是市井的俗艳的迷离。这时候你再看《牡丹亭》里杜丽娘的唱词，便可以理解什么是"书卷气"，什么是典雅精致了。

你道翠生生出落的裙衫儿茜，

艳晶晶花簪八宝填。

可知我一生儿爱好是天然？

恰三春好处无人见，

不提防沉鱼落雁鸟惊喧，

则怕的羞花闭月花愁颤。

原来姹紫嫣红开遍，

似这般都付与断井颓垣，

良辰美景奈何天，

赏心乐事谁家院。

朝飞暮卷，

云霞翠轩，

◎ 昆曲行头

江南衣裳

雨丝风片,

烟波画船,

锦屏人忒看的这韶光贱。

当一个时代的文艺作品,需要更强调大众品位的时候,昆曲显然不具备与通俗竞争的优势。昆曲和孕育了它的苏州一样,是一种成熟到散淡的文人风骨。这样,昆曲势必只能为少数人所欣赏。

◇ 虎丘曲会

昆剧被称为我国的"百戏之祖",2001年5月18日联合国教科文组织将其列为人类口头和非物质遗产。

昆曲史上最有名的"虎丘曲会",奠定了苏州在昆曲界不可动摇的地位,就是放在整个人类戏剧史上,也不能不说是个奇迹。

苏州郊外的虎丘山是古吴国的重要文化遗存。而虎丘山上的千人石唱了两百多年的"虎丘曲会",却使这里成了中国艺术一个别致的舞台。

明人袁宏道在《虎丘记》中这样描述:

雅俗既陈,妍媸自别。未几而摇头顿足者,得数十人而已。已而明月浮空,石光如练,一切瓦釜,寂然停声,属而和者,才三四辈。一箫,一寸管,一人缓板而歌,竹肉相发,清声亮彻,听者魂销。比至夜深,月影横斜,荇藻凌乱,则箫板亦不复用,一夫登场,四座屏息,音若细发,响彻云际,每度一字,几尽一刻,飞鸟为之徘徊,壮士听而下泪矣。

◎ 昆曲《牡丹亭》人物造型与服饰（图片提供：谢光辉/FOTOE）

明人曲家张岱这样记载道：

虎丘八月半，当地的居民、士大夫、官宦乡绅，携其家眷小孩，歌女艺人、戏曲名角女子、民间漂亮的少妇和未出嫁的少女，模样俊俏的娈童，乡间恶少公子哥，各家豢养的文人清客、书童家仆，贩夫走卒都聚集到这里。从生公台、千人石、鹤涧、剑池、申文定祠，到山下的试剑山、一二山门，皆铺满毡席，就地而坐。

登上山顶往下看，如平原处落满了飞雁，大江之上铺满了云霞。月亮一会躲进了云里，而戏台上已经开始打鼓，打鼓打了上百下，忽然铙钹声起，锣鼓声大响，声音雷动，翻天动地，人声鼎沸，人们的叫喊声都听不到。

敲了三遍鼓之后，月亮孤零零地出来了，人群变得异常安静，连细若蚊蝇的声音都听不到。这时，一名男子登场，高高地坐在石头上，萧和其他拍打乐器都没有用，这个人发出的声音开始如游丝，非常小，突然之间变大，好像要把石头裂开，把月亮穿透，每个字都音韵饱满，有如雕刻，仿佛许多针刺刺入听者的心中，观众的心血仿佛流尽，大家都不敢鼓掌叫好，只有不住点头。

当时的虎丘山中秋曲会作为一种奇观，已经载入戏曲史册。

用现在的眼光看，很难理解当时这种深入人心的昆曲之盛。昆曲之雅，似乎也丝毫没有阻拦贩夫走卒们的热情，这实在是一个费解的疑惑。或许只能认为，当时的苏州昆曲主要以清唱为主，这种清唱昆曲已形成一种氛围，人人以听昆曲为乐事。而且，很多著名文人参与清唱，他们认为清唱无损文人的高贵形象，因而，虎丘昆曲之会，成为苏州一道亮丽的历史风景。

◇ 梨园

出自苏州的昆曲演员里，广为人知的当推陈圆圆了。一说陈圆圆是苏州人，一说陈园圆是武进人，长在苏州。

陈圆圆八岁时就登台演出，特点是"扮相极佳，嗓音圆美"。此外，她还会填词。陈圆圆十几岁，便已红遍了江南。当时人说她"色艺擅一时"。旧典籍里记载说："有名妓陈圆圆者，容辞闲雅，额秀颐丰，有林下风致。年十八，隶籍梨园。每一登场，花明雪艳，独出冠时，观者魂断。"

而因陈圆圆的传奇经历，后来的记述中，人们往往不再关注她曾是昆曲演员了。

昆曲的兴盛，带动昆曲戏服的兴盛，当时苏杭繁华市井中，有无数的戏服店，大量的丝绸、缝制技艺的兴盛、文人佳丽的风流雅致，使得戏服业异常地兴盛。戏服店子大都量身定制各种精美的戏服，还能根据要求加以各种精美华贵的刺绣金线。除了苏杭这两个从种桑养蚕到服装制作，整个产业都完备的城市，全国之内恐怕再也找不出适合发展戏服制作的城市了。

　　昆剧界有句行话："宁穿破，不穿错。"昆曲服饰有着严格的规范，不同的人物的戏服的样式、颜色、图案、质地等都有规定。戏服多用丝绸、苏绣制成，做工精致。戏服的颜色根据中国古代服饰制度表现社会等级，比如明黄色最为尊贵，为帝王专用。另外，戏服用色还反映民间风俗，如红色用于喜庆时的穿着。昆曲的戏服还有同台不同色的规定，即同台演员，特别是穿一种服装的演员，不能穿着同一颜色。不同身份的人的戏服面料也有规定，如平民和衙役等人物只能穿布制戏服。总之，无论文武、男女、老幼、贫富、贵贱、善恶、神鬼，都可以在戏服中找到相应的服装，而且这些服装与昆曲表演水乳交融、相得益彰。

◎ 昆曲行头

后来昆曲沉寂，旗袍兴起，无数的戏服店铺转为定制旗袍，生意一样兴隆旺盛，宛如莺莺燕燕的昆曲靡殇。现在，苏州城内，无数定做旗袍婚纱的店子质量手工上乘，价格却也便宜，吸引着全国各地时尚的年轻人。

◎ 昆曲行头

◎ 第五章

一城明月，
半城机声

　　明月夜，机杼声起。作坊内，织机上丝绸如雪，华贵隐现，温柔暗生。那些和丝绸有关的片段与章节，就在"唧唧复唧唧"的织机声中渐次浮现。丝光花影，须臾变幻，交替错呈，缤纷跳跃，有如银河倒挂，又如繁树生花。

　　而朴素的蓝印花布，平晾在老屋前的草丛上，背景是长长的河流、宽阔的田野；湿漉漉的布匹上，有白色的菱角、柳叶和花朵。

丝绸

◇ 丝绸之府

《子夜歌》

始欲识郎时，两心望如一。

理丝入残机，何悟不称匹。

吴地民歌，几近白话，自有别样的风味，如青翠的莲子，齿颊留香。

山清水秀，水畔，柔软的风夹裹着草木的清香。

端坐织机前的小女子，心思纯净得就像远处那西子湖水。织机札札，一遍一遍都是那个清俊的身影，一呼一吸，有种软侬化不开的气息。

不管"丝"与"思"同音，也不管"匹"暗喻"匹配"，江南的女子，千百年来，都有清澈如水的莲心。

而织机上如雪的丝绸，也一如往昔，华贵隐现，温柔暗生。

时光倒流，五千年前。

那时的杭州女子，每逢春日清明前后，必是三五成群，手提竹筐，身着丝质裙衫，迎着晨曦，步履轻轻，走进繁盛的桑林。

早在吴越，"越罗"和"吴绫"已经成为贡奉朝廷的礼物。南宋，杭州的丝绸声名之盛，为"天下之冠"。城里女子，不分贫富，

◎ 杭州西湖畔

◎ 苏州沧浪亭藕花水榭外景

皆着丝绸，以至有"都市民
女,罗绮如云"的记载。

杭州一带，利于种桑养
蚕，温和的气候，水泽滋
润。隋代京杭大运河的开
通，杭州逐渐成为繁华都
市，市内和郊外的蚕桑都得
到发展。唐代，杭州的贡品
丝绸中，增添了绯绫、纹
纱、白编绫。

南宋迁都杭州，作为
都城，杭州改名为"临安
府"，是全国的政治、经
济、军事、文化中心。"衣
冠南渡"，北方丝绸技艺汇

◎ 江南女子婉转如风

聚杭州。南宋小朝廷在杭城内，设置绫锦院、染院、文思院等，规模巨大，仅绫
锦院就有织机三百多张，工匠千人。

杭州丝绸的繁荣，犹如杭城自身，繁华鼎盛。游历中国的马可·波罗，不由
得盛赞其为"世上最华丽的城市"。

丝绸的发展，促进了丝绸贸易的繁荣，当时与丝绸有关的行市，有丝绵市、
生绵市、枕冠市、故衣市、衣绢市、银朱彩色行之多。

在烟波浩渺的海上，白色的大帆船，将它们运至日本和东南亚诸国。南宋朝
一百四十多年，杭州，"丝绸之府"，名动天下。

◇ 机中断烟素

《上云乐》 李贺

飞香走红满天春，花龙盘盘上紫云。

三千宫女列金屋，五十弦瑟海上闻。

天江碎碎银沙路，嬴女机中断烟素。

缝舞衣，八月一日君前舞。

　　一副织机，织出的丝绸如星河闪耀，线与绸相呼，如云烟，似雾霭，虚无缥缈，起伏跌宕，摄人心魄。

　　纺织，是丝绸生产的最后一步，种桑养蚕缫丝，日日夜夜，只为此刻繁华绽现。

　　"长安一片月，万户捣衣声"，当中原女子乘月捣衣时，江南女子，正"纤纤擢素手，札札弄机杼"。捣衣不是日常洗衣，应是新纱纺成，洗涤捶打，使之细密结实的一道工序。

◎ 生丝

　　同为纺织劳作，可诗中隐约可感中原的粗重，江南的细腻。可能古代诗人也觉得，江南女子形象与"素手弄机杼"的情境，更贴切。

　　江南纺织技艺日益精进，至唐宋时，已到美轮美奂之境界。杭州丝绸之美，似乎是一种极致，所以诗歌中，诗人们将美的景物比作丝绸。

　　而这，恰好证明，盛世丝绸之美的透彻与极致。

　　"洛阳三月花如锦，多少工夫织得成。"（《莺梭》刘克庄），三月美景，竟也如织锦。

　　"绿绮新裁织女机，摆风摇日影离披。只因青帝行春罢，闲倚东墙卓翠旗。"（《蕉叶》徐寅）庭院中肥大的芭蕉叶，趣意盎然，娇憨可爱，美如绿绮。

　　还有"青丝素丝红绿丝，织成锦衣衾当锦衾为谁。"（《古兴》常建）深闺小女，对着飞鸟花叶蝴蝶，情窦初开，寂寥感叹：各色丝线织就丝绸、制成锦衣，还不是无人欣赏。士为知己者死，女为悦己者容。自古已然。

　　南宋时，杭州丝织品种日多，主要分为续、罗、锦、缎、泞丝、纱、绢、绵、细等十多个大类品种。

　　在"续"中有白编绩、柿蒂续、狗蹄绞、槽蒲绞；"罗"有素、花、撷、熟、暗金、博生；"锦"有金红捻金锦、绒背锦；"缎"有销金线缎、混织杂色线的花缎；"纱"有素纱、天净纱、三法纱、暗花纱、粟地纱、茸纱；"泞丝"是染丝而织，花色有织金、闪褐、间道；"绢"有官机、杜村、唐绢。

　　白居易在《杭州春望》的诗中，就有"红袖织绫夸柿蒂"句。柿蒂续是一种精致淡雅的花纹，衣衫飘舞间，柿子花蒂隐约可见，婉转缠绕，恰似女子的柔软。

◇ 都锦生

丝绸之都，为锦而生。

看到"都锦生"这三个字时，首先跃入眼帘
的，是一个店号，类似同仁堂、全聚德。

其实这是一个人名，了解此人的传奇经历后，
不禁让人暗自叹服：人如其名。

有的名字，即使取名时孩子尚在襁褓，混沌未

◎ 风华正茂的都锦生

开，而其深厚的意味，就已于冥冥之中，将一生的前景写就。

都锦生。

繁华都为锦生。

南宋以后，全国的织锦，四派鼎立。"宋锦"即杭锦，与蜀锦、苏锦、云
锦，并称"四大名锦"。

清末杭州，出现了一位织锦集大成者。他集宋锦的明秀、蜀锦的古朴、苏锦的
文雅和云锦的豪放于一体。

这位集大成者，便是都锦生。

都锦生，号鲁滨，1896年春寒料峭的二月，出生在西湖畔茅家埠。他的一生，
大都生活在茅家埠一座花园别墅里。中式砖木结构的别墅，既有杭州的古典意蕴，
又有那个时代时尚的气息。现在这里成了织锦陈列室，进门就挂着著名的"九溪
十八涧"及其意匠图。

1919年，二十三岁的都锦生从浙江工业学校机织科毕业。毕业后留校任教，
任教期间钻研丝织技艺。两年后，他绘制了一幅意匠图，并在学校实验工场轧制
花版，亲手织出丝织风景"九溪十八涧"。

江南衣裳

这幅小巧的织锦，只用黑白两色，远看会以为是素描山水画，但比之素描，丝绸质地将九溪烟树的朦胧意境表现得更加冲淡如染。素来看惯杭锦龙凤牡丹、华贵细腻的人们，何曾料想丝绸可如此清淡素净。

1922年，二十六岁的都锦生在这里开办了"都锦生丝织厂"，虽仅有一台手拉机，一名雇员，但丝织风景画，意境高远，气韵冲淡，大受追捧。

到1926年，都锦生已拥有手拉机近百台，轧花机五台，意匠八人，职工约一百三四十人，颇具规模。同年，都锦生的"宫妃夜游图"在美国费城国际博览会展出，获金质奖章，一时蜚声中外，产品开始远销南洋及欧美。

此后，都锦生东渡日本考察，并从留学法国友人处，购得法国棉织油画样品，开始研习制作新产品。

日本侵华，都锦生丝织厂倒闭，都锦生也于1943年5月在上海病逝。但都锦生织锦工艺保留了下来。中华人民共和国成立以后，都锦生丝织厂作为国家企业恢复生产，目前生产花色品种达一千多种，是我国最大的织锦厂。

都锦生故居门口，正对着湖面，门前小径是进香古道。

据说，宋朝时的茅家埠，湖水原是河道，河岸商铺云集，酒肆茶楼林立。每逢进香的日子，河上香客络绎不绝，"十八女儿摇艇子，隔船笑掷买花钱"。

◎ 西湖之畔的茅家埠

云锦

◇ 江南佳丽地，金陵帝王都

　　南京，为中国六朝古都，有着六千多年文明史和近两千五百年建城史，虽曾多次遭受兵燹之灾，但屡屡从瓦砾荒烟中重整繁华，留下了无数的物质文化遗产和非物质文化遗产。

　　朱偰先生在比较了长安、洛阳、金陵、燕京四大古都后，言："此四都之中，文学之昌盛，人物之俊彦，山川之灵秀，气象之宏伟，以及与民族患难相共，休戚相关之密切，尤以金陵为最。"金陵，是南京最古老而雅致的别称，因南京钟山在春秋时称金陵山而得名。

◎ 秦淮河

◎ 媚香楼——李香君故居

　　南京，是一美善之地。其地处江南，有高山，有深水，有平原，四周低山盘曲，山环水绕，襟江带河，钟灵神秀，有着得天独厚的地理位置和气度不凡的山水佳境。

　　奔腾不息的长江，不仅孕育了长江文明，也滋养了南京这座江南之城。南京的秦淮河、玄武湖、莫愁湖、石臼湖等流域水网纵横交织。其中十里秦淮，曾经传诵过多少才子佳人的风流韵事。秦淮八艳、金陵十二钗……都离不开这烟柳繁华地。

　　明末清初，秦淮河畔勾栏瓦肆，歌舞升平，夜夜笙歌，八位以色貌才气冠绝秦淮河的名妓，无人不知，无人不晓，柳如是、董小宛、陈圆圆、李香君、顾横波、卞玉京、寇白门、马湘兰等八人，即秦淮八艳，她们的凄婉爱情故事令人唏嘘，她们的民族气节让人扼腕。

中国古典小说的巅峰之作《红楼梦》里，太虚幻境"薄命司"记录了金陵十二位风华绝代的女子，林黛玉、薛宝钗、贾元春、贾探春、贾迎春、贾惜春、贾巧姐、史湘云、妙玉、王熙凤、李纨、秦可卿。她们的举手投足，一颦一笑，真实可感，大都命运多舛，思之让人感伤。

20世纪30年代，朱自清先生游历南京后，写下《南京》一文，这样评价："逛南京像逛古董铺子，到处都有些时代侵蚀的痕迹。你可以揣摩，你可以凭吊，可以悠然遐想……"

"天下财富出于东南，而金陵为其会"，南京是十朝都会，"衣冠文物盛于东南和都市大气之特色，有深厚的文化内涵，透露出几分儒雅之气，豪杰之风，斯文秀美，亢朗冲融"。同时南京作为天下文枢所在，文化底蕴深厚，"菜佣酒保也有六朝烟水气"。

南京的工艺品种类繁多，较为有名的有云锦、江宁金箔制品、仿古牙雕、金陵折扇及木雕、天鹅绒等。

◇ 霞蔚天成，美若云霞

云锦，中国"四大名锦"之首，因其用料考究，织工精细，图案绚丽多姿，美如天上云霞而得名。

关于云锦的由来，有一个美丽的传说。玉皇大帝为装饰天宫，便命织女们日夜织锦，朝为锦云，暮为绮霞，不得停歇。当人们仰望满天的霞光异彩，无不为织女们的心灵手巧而赞叹不已。于是，织女们开始向人们传授织云铺霞的神奇技艺。后来，世人便称这种富丽堂皇、瑰丽华美、如彩云般绚烂多姿的织锦为云锦。

明代诗人吴梅村在《望江南》中以"江南好，机杼夺天工，孔雀妆花云锦烂，冰蚕吐凤雾绡空，新样小团龙"，来赞美南京的云锦。

 云锦

◎ 树下对鸟对羊纹锦（复制品）（唐 高昌）

云锦起源于距今一千五百多年前，在元明清三朝，均被指定为皇室御用品，是黄袍、冕冠、嫔妃衣饰的主要用料，也是皇室馈赠、赏赐的高贵礼品。清代设"江宁织造署"，南京云锦进入鼎盛期，全城共有三万多台织机，近三十万人从事织锦行业，南京秦淮河边机户云集，杼声不断。

云锦工艺精妙，由传统的提花木机织造，提花工和织造工两人配合，前者坐在织机上负责提花，后者在织机下织造，上下协同，两个人一天也只能完成5~6厘米长云锦的织造，可谓是"寸锦寸金"。

清代沈寿记述云锦"色有定也，色之用无定。针法有定也，针法之用无定"。云锦工艺凭口口相传、手手相授，需要智慧和悟性。

与一般织造的"通经通纬"工艺不同，南京云锦使用的是"通经断纬"技术，挖花盘织、妆金敷彩，织出逐花异色的效果，即从云锦的不同角度看，所织花色是不同的。

南京云锦主要有"花缎"、"织金"、"织锦"、"妆花"四类，尤以"织金"与"妆花"两种工艺成就最高。"织金"即用金箔切割成的金丝线进行织造，"妆花"的特点是用色多，五彩缤纷。

由于云锦被用于皇室，所以云锦的用料考究，不惜工本，所用材料多为金线、银丝、真丝、绢丝、各类鸟禽羽毛等。目前，这种靠人的记忆编织的传统手工织造方法仍无法用现代化机器代替。

◇ 云锦新生

新中国成立后，云锦新生，1957年成立的"南京市云锦研究所"，科学复制出马王堆汉墓出土的"素纱禅衣"、十三陵定陵出土的明万历皇帝"织金孔雀羽妆花纱龙袍"等六十多件文物精品，再现了珍贵文物的往日风采。

2006年5月20日，南京云锦木机妆花手工技艺经国务院批准被列入第一批全国非物质文化遗产名录。

南京云锦艺人创制于15世纪的云锦妆花形大花楼木质提花机，至今无法由现代织机完全替代，称为古代织锦的"活化石"。长5.6米、高4米、宽1.4米，是我国古代提花机中最复杂、最奇特、最完美的。每台织机分楼上楼下两个，由上、下两人配合操作。2009年9月30日，"南京云锦木机妆花手工织造技艺"成功入选《人类非物质文化遗产代表作名录》。

南京云锦虽历经千年风雨，至今仍然不失其雍容华贵的风范。现今，云锦礼品、实用品、时装受到越来越多的人的欣赏与典藏。

◎ 云锦旗袍

江南衣裳

◎ 云锦妆花形大花楼
木质提花机

一城明月，半城机声

109

苏绣

苏绣，宛如历史河流中一朵雅致闲逸的睡莲，一朵婉转流动的浮云，丝光花影，悄然绽放，须臾变幻，直化作一缕长风、一粒雪沙、一片流转寂静的香魂。

◇ 文章锦绣

一直以为，这是形容某人文采的词汇。

看到释文解字，才觉自己的疏浅。

刺绣的出现，更多源于对色彩的着迷。远古人类很早就会使用色彩。

◎ 苏绣孔雀

起初，将颜色涂在身上，称"彰身"；之后，刺在身上，称"文身"；而后画衣、刺绣。

刺绣最早的记录，在我国第一部史书中，早在黄帝时就有了彩绘花纹。

虞舜的衣服有花饰。上衣有六种花纹，分别是日、月、星辰、山、龙、华虫。华虫，是一种鸟禽，有着华丽的色彩，古人认为能象征圣主的神采。下裳也是六种花纹，分别是宗彝、藻、火、粉米、黼、黻。

十二种花纹，总称十二章。

黼黻，指的就是刺绣。

周代《礼记·祭义篇》中说，古代天子诸侯都养蚕。蚕熟，献茧缫丝，把它们染成红、绿、玄、黄等色，以为"黼黻文章"。

黼为黑白相间的绣纹；黻为半青半黑的绣纹。

"文章"，在古汉语中别有含义。青、红两色线绣称之为"文"，红、白两色线绣称之为"章"。"文章"二字本义是锦绣，后转义喻文。

斗转星移，岁月更替，古代人们渐渐发现，色彩与花纹绣在服饰上，色彩更明媚，花纹更持久，是为"文绣有恒"。

流传至今，最早的刺绣应属"龙凤虎纹绣罗"，这件绣品自荆州战国楚墓出土。其中锁绣法的精巧针法，仍清晰可见。

另外，还有同墓出土的龙凤纹绣绢、长沙烈士公园出土的楚国刺绣，这三件绣品是认识古代刺绣最好的实物。

稍后汉墓中的绣品渐多，如马王堆就有绣花绢棉袍、黄绣花袍，绣线精细，前所未见。

明清时期，皇室刺绣品，几乎全出自苏绣艺人之手。民间苏绣则更趋实用，苏绣飞舞跃然于服饰、戏衣、被面、枕袋、帐幔、靠垫、鞋面、香包、扇袋之上。这些苏绣生活用品，不仅针法多样、绣工精细、配色秀雅，而且图案花纹寓意吉祥喜庆，深受群众喜爱。

◇ 一笔千线

早在春秋时期，吴地人已开始刺绣。

到了宋代，苏州的蚕桑、丝绸繁荣兴盛，刺绣技艺更精湛，苏绣之名远扬。

明代之后，吴门画派对刺绣影响深远，刺绣艺人将书画付诸丝帛，"以针作画"，笔墨酣畅，气韵生动。明清时，苏州的繁盛富庶、贸易的繁荣，苏州刺绣更是达到巅峰。

在各传统刺绣中，最擅长吸取其他艺术的，就是苏绣。《清秘藏》叙述："宋人之绣，针线细密，用线一、二丝，用针如发细者为之。设色精妙，光彩射目。山水能分远近之趣；楼阁具现深邃之体；人物能有瞻眺生动之情；花鸟能报绰约亲昵之态。苏绣佳作较画更胜。"

苏绣既成，山水层次分明，亭台楼阁远近不同，人物顾盼生姿别具情态，花鸟虫鱼娇憨可爱，精致的苏绣作品，比绘画图本更胜几分。苏州刺绣，早在明代就已风格自成。明屠隆《考槃余事》中记："宋之闺绣画，山水人物楼台花鸟，针线细密，不露边缝……故眉目毕具，绒彩夺目，而丰神宛然，设色开染，较画更佳。女红之巧，十指春风，迥不可及。"

字字珠玑，句句皆是苏绣，超凡技艺，旷世之美。

苏绣图案大都以亭台楼阁、小桥流水为主，色调以蓝、绿为主，体现清雅、幽静的效果。从人物、花鸟到山水、动物，静若处子，动如脱兔，苏绣呈现的，无不是江南水乡的细腻绵长。

苏绣，以"一笔千线"闻名。纸上泼墨晕染、挥

◎ 彩色丝线

毫一笔，在丝帛上则引作千针万线。苏绣线色千种，每色又根据深浅分十余种。一件作品，颜色之多可达一二百种。

绣工如此精细，费时亦久。一般小幅苏绣三五月，中幅需一年，大幅两三年，有时还要数人合作。

无论花鸟虫鱼的精美雅致，还是山水写意的意境幽远，苏绣，在时光与指尖缠绵中，华丽流畅地轻舞。

◇ 三绝夫人

苏绣的历史可上溯到春秋时代。

据《说苑》记载："晋平公使叔向聘吴，吴人饰舟以送之，左百人，右百人，有绣衣而豹裘者，有锦衣而狐裘者。"

三国时期吴国出现了著名的织绣工艺家，时称"三绝夫人"。《历代名画记》和《拾遗记》中记载："吴王赵夫人，善书画，巧妙无双，能于指间以彩丝织龙凤锦，宫中号为机绝"，"又于方帛之上，绣作五岳列国地形，时人号为针绝。又以胶续发丝作轻幢，号为丝绝"。

◎ 双面绣龙

吴夫人的书画修养高深，心灵手巧，织锦可成龙凤，成为"机绝"，绣作可"绣万国于一锦"，绣出五岳、河海、城邑和行阵，是为"针绝"。还可用发丝织就轻盈的锦旗，是为"丝绝"。

◇ 顾绣

嘉靖三十八年（1559），一位名叫顾名世的苏州秀才考中进士。其"名世性好文艺"，艺术修养较高，晚年在上海购置田产，建造露香园。

《露香园记》描述："堂之前大水可十亩，即露香池，澄泓渟澈，鱼百石不可数，间芰草饲之，振鳞捷鳍食石栏下。"池内种植红莲，花开时，池水欲赤。

在露香园雅致脱俗的氛围中，顾名世之孙顾寿潜师从名画家董其昌。董其昌是晚明最杰出、影响最大的书画家，善山水画作。

顾寿潜别号绣佛主人，能诗善画；顾寿潜之妻韩希孟，既善绣，也工画花卉。夫妇都有很高的艺术素养，珍视刺绣，认为刺绣不应只是衣裙装饰之物，而应有独特风格，显示独立艺术地位。

韩希孟对刺绣"覃精运巧，寝寐经营"，作品大多绣宋、元名画。她充分运用针锋特技来表达画面的神韵，所绣人物神采奕奕，呼之欲出，是顾氏家族众多刺绣名手中的翘楚。她绣制的宋代画家米芾的山水画，根据近水远山的透视关系，表现了水光云天、山色缥缈、似有若无的意境。

一次，韩希孟仿元赵孟頫之孙赵子昂的画作《洗马图》做了一幅绣品，白色素缎地上绣成，画面上垂柳摇曳，树下一马夫正为一白色黑斑马刷洗，白马兴奋地在水波中昂首嘶鸣。

顾寿潜看后极为称赞，于是挂在书房墙壁，及董其昌到访，请其观赏评价。董其昌远观之，只见此画画面壮阔，波光潋滟，人物栩栩如生，舒心的马匹面露洋洋得意快乐之色。画作平淡天真，清隽雅致，拙中带秀，层次分明，笔墨淋漓。

董其昌当即大为赞叹。

此时顾寿潜才娓娓道来，此幅并非画作，而是绣品。

董其昌连声惊呼："技至此乎！"

一句"技至此乎"，言尽韩希孟刺绣技艺之超群脱俗。

在韩希孟之后，顾氏家道中落，依靠出卖绣品营生。据清嘉庆年间《松江府志》记载，顾名世曾孙女顾兰玉开办刺绣班，传授顾绣技艺，有"百里之地无寒女"之说。顾绣针法外传，顾绣之名震溢天下。

同时，由于顾绣绣品技艺精湛，达官显宦、富商巨贾争相购藏顾绣珍品，使顾绣身价陡增。连《红楼梦》都有描述：贾元春得一绣佛云："顾绣，女中神针也。"可见顾绣声誉颇高。

至此，顾绣融入苏绣之中，苏绣吸收顾绣特点，顾绣与苏绣名虽有别，艺实一体。苏州绣坊也都竞相打出"顾绣"的招牌招徕生意，且苏州绣庄以顾名世为"绣祖师"，建"修祖庙"。

◇ 丝光溢彩

明代名士王鏊在其所撰《姑苏志》中点评道："精细雅洁，称苏州绣。"

江南刺绣无论是色彩搭配运用，还是针法组合的多样性，都达到了空前的水平。据《上海县志》载："苏绣之巧，写生如画，他处所无。"

我国刺绣史上的一位代表人物是沈寿，她首创仿真绣(亦称绣实、沈绣)，开中国刺绣一代新风，为苏绣发展奠定了基础。著名实业家张謇称誉她为"世界美术家"、"天下之奇女子"。

赴日本考察，日本刺绣融合东方刺绣针法与西方素描油画，使沈寿深受启发，独创了散针和旋针两种新针法，称为"仿真绣"，一改传统刺绣少光少影的风格。

1911年，沈寿作品《意大利皇后爱丽娜半身像》参加意大利世界万国博览会，获最高荣誉奖。次年，沈寿绣《耶稣像》，在美国万国巴拿马博览会，获金质大奖。

沈寿晚年，张謇整理撰成《雪宦绣谱》一书，书中总结了十八种刺绣的基本针法，这是中国第一部专写刺绣工艺的理论著作，后被译成英文版，发行国外。

杨守玉，生于常州，初就读女子师范，师从著名画家吕凤子学习美术，毕业后赴女子中学担任绣工科教授。她提出刺绣"胸中有锦绣，指下有芬芳"。

杨守玉初以水粉画为绣稿，绣制出《老头像》、《小女孩》等艺术作品，呈现出一种全新的油画效果。

她的绣法，线乱手不乱，针乱而心不乱，针法活泼、线条流畅、色彩浓郁、层次丰富、立体生动，颠覆了既往传统，开启了一代苏绣新风。杨守玉将其命名为"乱针绣"，又名"正则绣"。

乱针绣面世后，杨守玉又创造了"虚实乱针绣"、"双面乱针绣"、"双面异样绣"、"双面三异绣"等多种刺绣技法。

抗战期间，杨守玉随女校内迁重庆，在重庆创作了《罗斯福像》参加全国工艺美术展览，被作为国家礼品，赠送给美国。《罗斯福像》至今仍珍藏在美国艺术馆。

◎ 苏绣济公（民国 沈寿）　◎ 乱针绣黑白小猫

116

缂丝

上千种彩色丝线在织机中交替错呈，缤纷跳跃，一部缂丝机仿佛直说尽人世繁华。

◇ 织中之圣

《红楼梦》第三回，林黛玉初入贾府，王熙凤惊艳出场：

> 只见一群媳妇丫鬟围拥着一个丽人从后房进来。这个人打扮与姑娘们不同，彩绣辉煌，恍若神妃仙子。……身上穿着缕金百蝶穿花大红云缎窄褃袄，外罩五彩刻丝石青银鼠褂；下着翡翠撒花洋绉裙……粉面含春威不露，丹唇未笑先闻。

对此段凤姐的传神描写，恐怕所有读者都印象深刻。初读此段，只觉凤姐衣着华丽，恍若"神妃仙子"，对那些名称繁复的锦绣服饰，并不了解。

117

再一细读便更能体味凤姐的富贵，仅一件五彩刻丝外褂，就显现出"贾不假，白玉为堂金作马"，贾府堪比皇室的富贵繁华立刻扑面而来。

因为，刻丝即缂丝，被称为"织中之圣"，是所有丝绸织物中最名贵的一种，而绝非其中之一。

缂丝与苏绣可比姊妹，它和苏绣的不同之处在于：苏绣平凡，平常巷陌皆可见，而缂丝则雍容华贵，稀少昂贵。缂丝服饰一般只见于帝王之家，即使一般富贵人家概莫能供，民间所见更为罕见。明清两代的皇室冠服，大都是苏州缂丝艺人所制。

丝绸织物可分两种：素织与花织。素织没有任何花色花纹，而提花织物则有花色花纹，缂丝则属于提花织物中最极致的品种。

缂丝又分普通缂丝和精品缂丝，普通缂丝风格接近织物，精品缂丝则花旁有叶，叶中有花，错综繁复，花团锦簇，花纹叠加累积，有的花纹间隙之中，还填

◎ 清代缂丝麻姑献寿图局部

◎ 御制明皇缂丝十二章纹龙袍（图片提供：张波/FOTOE）

以鸟纹或童子纹样。层层叠叠的繁花盛景中，真似浓得化不开的一丝浓情蜜意。

　　明定陵出土的万历皇帝十二团龙、十二章纹缂丝龙袍，就是缂丝中的精品。这件缂丝作品中，在金线做法、孔雀羽处理上都极为精细，色彩华丽而不浮躁，色泽搭配和谐统一，龙的图案大气轩昂，华美精细与壮观气派完美融合，堪称缂丝皇袍的典范。

　　◇ 丝绸上的雕刻

　　缂丝又称作"刻丝"、"克丝"或"尅丝"。在国外还被称为"缀锦"、"缀织"、"织成锦"等。

　　《玉篇》说："缂，织纬也。"

　　缂丝，虽有刻丝之名，却并不是真的在布帛上雕刻而成。

　　缂丝以蚕丝为线，采用"通经断纬"、"生经熟纬"的织法。缂织时，通过

119

彩色纬线显示花纹图案，生经表示经线为素色，是未经漂染的原色，熟纬表示纬线为彩色，是经过染色处理的丝线。每幅花纹图案边界由于纬线截断，形成透空针孔，悬而视之，犹如万缕晶珠。且花纹图案与素地、色与色之间略显凸起，似刀工镂刻而成，故称"刻丝"。

缂丝织品，粗看与其他丝织品无异，若仔细观察研究，则有许多根本不同之处。它不像印花刺绣有绣底或地衣，也不像织花那样通过缎纹的变化来显示图案。它是平纹，所有图案变化都来自于众多色梭交织。缂丝成品正反两面如一，与苏绣双面绣有异曲同工之妙，与苏绣一起被誉被"苏州织绣双璧"。

◇一寸缂丝一寸金

2004年，从缂丝作品《钦定补刻端石兰亭图帖缂丝全卷》在中国嘉德的拍卖中创出3575万元的高价开始，缂丝的身价一路攀高。2006年，一幅"清康熙御用红木雕花镶嵌缂丝绢绘大屏风"更是以8050万元天价成交。

缂丝品格高雅，富贵十足，身价骄人，多为宫廷所宝藏，古人以"一寸缂丝一寸金"言其珍贵。

缂织机旁，密密的纯生丝经线已经张好，好似布帛的胎骨。然后，依照画稿，用淡墨在经面上临摹画稿，再用装有各种丝线的小梭，依花纹图案分块缂织。同一种色彩的纬线不必穿过整个幅面，只需根据纹样的轮廓或画面色彩的变化不断换梭。织造一幅作品，往往需要换数以万计的梭子。

丝绸中的织花和印花，都受工艺用色的限制，一般不超过八至十套色。缂丝却可以较为自由地用几十乃至几百只色线。随着现在缂丝工艺的发展，用色线已有一千多种，每种色还可根据深浅分为几种至十几种。

◎ 缂丝牡丹图

缂丝织品比一般绸缎坚厚耐磨，可长期保存，可洗，洗后平整如故，不起毛，不褪色。

且缂丝可表现多种艺术风格。如工笔国画中的渲染、油画意象、书法笔锋、墨色和图案中的泥点等，都能织得惟妙惟肖，其中表现工笔花鸟画尤为出色。这些效果，其他织物则较为罕见。

缂丝的背景渐变，从深到浅有上千种渐进色，几乎每一根纬线的颜色都有微妙的变化。

一个熟练的缂丝师傅，一年最多只能织出两三件作品。这样低的产量，自然价值不菲。而且，目前文物市场上的缂丝织品极少出现仿制品，因为"通经断纬"的这一织法，即使仿制，工艺一步都不可少。从这个意义上说，任何一件精美的缂丝，都是一件值得收藏的珍品。

蓝印花布

蓝印花布，挂在印染作坊门前的架子上，呼呼作响，风很大，阳光很灿烂，摇摆中的蓝印花布，一如既往地安详，如夜晚。蓝印花布上，有白色的柳叶、花朵和菱角。

◇ 朴素的气息

蓝色是民间服饰的颜色。蓝色，不仅流露出人们的含蓄与谨慎，更表现出一种包裹在贫寒中的温暖与自尊。红色热烈，白色挑剔，黄色浮躁，紫色凝重，唯有蓝色沉稳、内敛、温静、亲切。

蓝色沉静，有种沉淀浮尘喧哗的安静，似乎在蓝印花布飘摆的地方，它周围一切的喧嚣浮躁就都被夹带着乡野气息的蓝色过滤了。

蓝印花布透露一种朴素的气息。这是来源于生活的简单，这其中既有蓝的深刻，又有那些细小的白色花纹的无忧无虑的快乐。蓝色的朴素表现在它对其他颜色的包容。除去那些浮躁跳跃的颜色，蓝色几乎可以和任何颜色搭配，并和气地与其他颜色互动、呼应。

蓝色不挑剔，既可以做成粗糙的肥衣大裤，也可以做成精致剪裁的旗袍，还可以用来做被褥、枕头、手帕、头巾、包袱。不论哪种用途、哪种花纹，沉甸甸的蓝，总能让人感觉，这是最最合适的布匹和花色，除此之外，不会有更好的选择。

◎ 蓝印花布年年有余

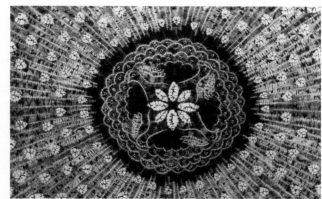

◎ 蓝印花布孔雀羽

◎ 蓝印花布凤凰牡丹图

蓝色像山野间的天空，安静地承载所有悲喜。蓝色布衫晾在染坊的木架上，后面是长长的河流和宽阔的田野，还有背景中宋代的石拱桥、明代的戏台和清代的油坊。

许多颜色，会随着时间的累积而日益衰败和不堪。而蓝色，越旧越美。旧了的蓝别有风味，恍如陈酒，或远去的故乡。它斑驳的纹脉，混合了山野的气脉和岁月的表情，让人想起一路走过的岁月，以及在岁月中累积着的痛楚与快乐的点滴。

◇ 蓝靛草

《说文》中记载："蓝，染青草也。"

蓝靛草，在江南是大片大片的野草。这种草做成的中药"板蓝根"，可清热解毒、凉血利咽。用这种散发着药味的蓝靛草染制出的蓝印花布，沾染着一股淡淡的中药味。

◎ 蓝印花布

◎ 蓝印花布作坊

　　相传，最早的服饰没有任何颜色，自然白，是服饰的主色调。到了汉代，有了梅葛二仙的传说，他们传下了蓝靛草的种子，被供奉为染坊之神。每年农历九月九日，是染坊祭神的日子。自然，这个传说有现实的观照，葛洪是个炼丹药的术士，在炼丹的同时，可能生成了某种染剂。

　　但是，蓝靛草的使用应该比这个早得多。早在夏周，我国已有蓝靛草的文字记载。据古书《夏小正》记载，在夏代已种植蓼蓝，"五月，启灌蓼蓝"，可见植物染料蓝草在夏代就已开始种植。《诗经》中也有"绿衣丝兮，女所治兮"（《邶风·绿衣》）、"终朝采绿，不盈一掬"（《小雅·采绿》）的记载。

　　《周礼·天官》中有"染人染丝帛"的记载，《周礼·地官》中也有"掌以春秋敛染草之物，以权量受之，以待时而颁之"，表明周朝已经设有掌管染色的"染人"职官，也称之为"染草之官"。《周礼·考工记》写道："青与白相间也。"

北魏农学家贾思勰的《齐民要术》中有对靛蓝制作过程的记载：先是"刈蓝倒竖于坑中，下水"，然后用木、石压住，使蓝草全部浸在水里，浸的时间是"热时一宿，冷时两宿"；将浸液过滤，按百分之一点五的比例加石灰水，用木棍急速搅动，等沉淀以后"澄清泻去水"，"候如强粥"，则"蓝靛成矣"。

用于染色时，只需在靛泥中加入石灰水，配成染液并使发酵，进行扎染，织物便可取得鲜明的蓝色。这种制靛蓝及染色工艺，几乎与现代合成靛蓝染色的机理一致。

江苏的《光绪通州志》中详细记述了靛蓝的制作过程："小暑前后、白露前后可两期采集蓼叶，取净叶二十八斤，石灰十二斤拌成一料，四料便可做成一担蓝靛，形如淤土，故称'土靛'"。

在"州志"中记载民间制靛的简单过程，足以说明蓝草的种植和蓝印花布的生产在当时物产中的重要地位。

蓝靛草、棉花和它们形成的蓝印花布，保存着自然的风貌。从蓝印花布中，似乎可以闻到植物汁液的气息。蓝印花布洁净而安详、宽厚而敏感，它与大地土壤有着自然地相连，风将它吹拂，仿佛草木的晃动。

◇ 夹缬

蓝印花布，在古代叫"夹缬"。

隋代前后的《工仪实录》记载："缬，起于秦汉间。"夹缬在唐代最为盛行。只是古代夹缬最初是色彩斑斓的，后来，才渐渐选择了蓝。

如在唐诗中，夹缬有红色和绿色："醉缬抛红网，单罗挂**绿**蒙"（李贺《恼公》），"成都新夹缬，梁汉碎胭脂"（白居易《玩半开花赠皇甫郎中》）。

127

◎ 染前要把布在石灰水中泡

术语简洁准确，"夹缬"两个字干脆利落地指明了两层涵义——"夹"是制法，"缬"是材料。《词源》的解释是："唐代印花染色的方法，用二木板雕刻同样花纹，用绢布对折夹入此二版，然后在雕空处染色，成为对称的花纹，其印花所成的棉、绢等丝织物叫夹缬。"

据《工仪实录》记载，在秦汉就已有夹缬等手工印染工艺；隋唐两代染缬盛行，上至宫廷，下至平民百姓，都用染缬制品。

皇后衣裳中有"缯彩如措染，成花鸟之状"的染缬制品，普通百姓也喜欢"青碧缬"。军中士兵制服、富贵人家的屏风和幛幔也多用染缬。

然而，夹缬产生重大转变却是在宋代。这时，艳丽的染缬逐渐变成单一的蓝白缬布，并在民间广为流传。

宋代，国力衰退，宫廷以夹缬代替部分丝绣。成为皇室用品的夹缬自然要显出高贵，于是朝廷多次颁发禁令，禁止民间雕刻夹缬花版、印染彩色染缬。《宋史·舆服志》记载，民间兴盛的染缬工艺受到很大打击，除蓝白印染花布外，彩色蜡缬、绞缬、夹缬逐渐隐退，民间染缬趋向单色。

失之桑榆收之东隅。彩色夹缬的消失，却无意促成了蓝印花布的普及。艳丽和繁文缛节被一一舍去，最后变成蓝白两色，色彩让位于图形。

蓝印花布因简洁而生动。

◇ 雕花板

乌镇的染坊，院子的杆子上都挂着扎染好的布，风吹过，随风摇曳，散发出乡野的清新秀丽。

夹缬工艺用的雕花板是用梨木、枣木等木质紧密、硬度较强的木板镂刻而成。雕花版上的阳纹（凸起的部分）防染，两片雕花版夹紧，染液就渗不进去，得出的结果就是蓝印花布上反白的部分；阴纹（凹陷的部分）容纳染液在里面自由流动，渗入棉布的纤维。

染缸可大可小，小的一般也有一米多高，上大下小，底部埋进土里，下面还有火灶，保温性好。冬天的时候，染液会结冰，就在火灶里添加些稻糠、锯木屑，生火加温。染液的温度不能太高，只要不冰手就可以了，否则染液发酵过度，染液便失效了。

将制好的靛蓝染料倒进缸中，缸里满满盛着的蓝色染液上面会漂着些蓝色的泡沫，印染时，将泡沫轻轻掠去。

然后将白布反复折叠，夹在雕花版当中，用铁条固定，再放进染缸中漂染。漂染的时间长短和季节气温，有某种隐秘的联系，这是染坊工匠们年深月

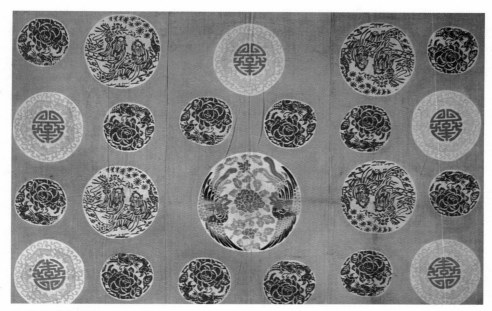

◎ 蓝印花布图案

久的智慧。

雕花版的制作十分复杂。与蓝印花印制结果的简洁明快形成反差。但是，正是有了繁复的雕花版，才有了简洁的蓝印花布。

雕花板的制作难度在于：光滑流畅的阴纹线条必须条条相连，如有阳纹阻断，则须在阳纹图案底下钻出水平的横洞来连接。这样，木板上阴刻的线条就全部都是贯通的。在图案中必须建立起这样的沟渠秩序，不留死角。

干燥过后的蓝印花布晾晒在院里，上面的图案（花朵、草叶、鸟兽、童子）宛如风中吹来的花籽，朴实自然、零星飞扬。

◎ 第六章

海派旗袍暗香生

　　最是那一低头的温柔，像是一朵水莲花不胜凉风的娇羞。当身着一袭美丽旗袍的海派女子袅袅婷婷走来，时空仿佛停止呼吸。即使没有金银相衬、珠玉点缀，那古典优雅、内修外敛的旗袍，也能把女人的妩媚、温柔与性感演绎到极致。

旗袍上的花样年华

◎ 旗袍美女

◇光影

旗袍，冷艳香凝。

一想到它，便令人感觉到那种旷古的忧伤和哀怨。不管横亘了多少苍茫岁月，无论经历了怎样的风烟尘埃，旗袍那织金绣银、镶滚盘花的华彩，始终长留天地人心。

旗袍在女人的生命中曾经何等辉煌。然而，盛极而衰，好比一朵繁花，千朵万朵之后，随之便是落红满地、随风飘去一样，一度魂销香陨。如今，一缕花魂渐渐归来，宛若梵阿林的旋律般萦绕飘荡在无数风雅之士的梦里。

当旗袍遇到王家卫，20世纪60年代的香港恍惚之间移了魂，旗袍的"花样年华"在另一个时空再度绽放成妩媚的烟火。

在电影《花样年华》中，张曼玉展示了三十多件花色各异的旗袍。伴随着空旷寂寥的主题曲，通过女主人落寞凄迷的表情，便把那种郁郁寡欢、空守时间的奢侈表现得淋漓尽致。她华美的旗袍与街道微黄光亮相互辉映，她偶尔惊鸿一现，衣香鬓影，忧伤成疾。

在《画魂》中，被人称作"花瓶"的李嘉欣，演绎一个绝非花瓶的天才画家，她身陷红尘、命运曲折、才华惊人。饰演潘玉良的李嘉欣，身着素净得没有一点花样的旗袍，纯净得不带一丝世俗尘埃，恍然时光淡去，光阴中，依稀走出大师潘玉良。

而《色·戒》中，汤唯前前后后共换了二十七件旗袍。这些旗袍，与其说是包裹身体的服饰，不如说是展现身体诱惑的布帛，欲擒故纵。旗袍，从未如此勾魂摄魄。那些惊艳的旗袍，梦魇般附着在她身上，包裹着欲望汹涌的身体，暗香浮动中，透露出纠缠挣扎的内心。

从《花样年华》、《画魂》到《色·戒》，影视中的旗袍引发了民间旗袍的新热潮。在各种场合，你不难看到，被称为"Chinese dress"的旗袍的绰约风姿。

当光影遇上旗袍，那么必定是一个迷离恍惚的美梦，一个划破时空不愿醒来的美梦。

◇ 风韵万种

旗袍摇曳，沉郁百年的上海记忆，灿然绽放。

风云变幻的大时代，唤醒在传统里束缚抑制的中国女人。旗袍，第一次如此细致地勾勒出东方女性的曲线，如此大胆地露出玉臂、小腿。

青布旗袍，软底儿的修鞋，俏丽的一字刘海，宛如一阕清新小令；织锦缎的倒大袖旗袍，引出八十年前摩登女郎的时尚风韵；宽边镶滚的旗袍，尚留存一丝旗装遗韵。绣花、盘纽、花边，含蓄地道出女人心事。前襟绣一枝独头牡丹，衣边滚一圈细细镶边，盘一只蝴蝶纽振翅欲飞。

不论是千娇百媚，还是风情无限，旗袍是"衣中艳后"，尤其对东方女性而言。从旗人为了骑马狩猎的方便，到今天成为女性追求唯美时尚的象征，从贵族化的衣锦到大众化的服装——这长长的衣袖上，一端是沧海，一端是桑田，中间流淌的则是风情万种的神韵。

在描写上海风情的作家笔下，在当时的广告画中，在昔日名媛淑女的玉照里，留下了一丝丝甜美而怅惘的气息。

最凸显穿着效果的旗袍女郎是那些月份牌美女。经过画家的精心设计和构思，再运用独特的擦笔淡彩画法所塑造出的她们，个个花容月貌，长身玉立，把旗袍穿着效果中的甜、嗲、妖艳的一面发挥到极致，无端地让人想起了温庭筠的花间词，虽然没什么更有深意的内涵，但纯粹的赏心悦目也该是意义之一了。

民国时期上海女人，对旗袍的喜爱，恐怕从她们的聚会中才能真正体会。

有这样一个故事：有位家境贫寒的小姐，初识了一个男同学。风华正茂的青年，邀请她去家里参加派对。而这位小姐正为参加派对的服饰淡淡地泛着忧愁。踌躇之际，老祖母翻出自己的箱子，拿出了当年自己年轻时穿过的旗袍。那上等的面料，精致的做工，简朴大方的式样，虽足过了半个多世纪，却依然雍容华贵，光彩绽放。

小姐穿上这件旗袍，还戴上祖母样式陈旧的首饰，去了派对。

室内金碧辉煌，珠光宝气，香影浮动。小姐躲在角落里，独自欣赏。

忽然，一位众星捧月的贵妇人瞥见了她，眼中立刻惊异万分，招呼她过去，原来正是男同学的奶奶。

老妇人拉着她的手，细细端详，越端详越感叹。

她对同坐的其他贵妇言道，这可是X师傅的旗袍啊！样式简单，做工精致，掐腰合身。当年上海，请得起他的人家，不过两三家，影后胡蝶就只穿他做的旗袍。

这下轮到小姐惊诧了，不料想，自己的家族，竟然还曾如此显赫。一件平常的旗袍，竟也有这许门道。

◎ 月份牌美女

老妇人接着说，现在懂得欣赏这些的年轻人越来越少了，都浮华得很，喜欢百货商店花里胡哨的样式，哪还有半点韵味可言？只有家世正经的大户人家的小姐，才懂得品味这种旗袍的韵致啊。

言罢，老妇人满眼都是喜爱，恁是其他名门闺秀珠光宝气花团锦簇，都不入老妇人的法眼。

一件沉睡了几十年的旗袍，隔了一代，在孙女身上穿出，其光芒竟然盖过最艳丽最华贵的新式霓裳。

旗袍，真是神奇。

◎ 旗袍女子

◇ 名门闺秀

一家三姐妹，是20世纪最显耀的姐妹组合。这样的家庭，放之海外，恐怕是空前绝后的。

宋氏三姐妹，都酷爱旗袍。而且她们不同的气质与风韵，将旗袍穿出自己独特的味道。

宋霭龄十六岁出国留学，性格沉稳、果断、精明，她的旗袍总是透露着华贵。即使是战时，宋氏姐妹去看望伤病员，宋霭龄也是簪珠戴翠，身穿一件墨绿色软缎旗袍，罩了一件翻领的西装，纽扣没扣，露出领口处那枚祖母绿的宝石领花，其富丽华贵之气，使得围观者都不敢正目相视。

江南衣裳

宋美龄雍容典雅、仪态万方，她对旗袍的喜爱，似乎是与生俱来的天性。尽管十几岁起就生活在美国，但她从来都穿着中国式的服饰。宋美龄四季不断更换的旗袍，一件旗袍，一般只穿一两次。这些不同颜色、不同质地的旗袍，平时都编成号码，便于随时取用。宋美龄还有位私人裁缝师傅叫张瑞香，一年四季不停地为宋美龄制作旗袍。1991年，宋美龄决定到美国去定居，她乘坐的客机装有九十九箱私人衣物，至少有五十箱旗袍。她无疑是中国拥有最多旗袍的女人。

宋庆龄，在三姐妹中，性格娴静温柔，她的旗袍，总是深色素净的，毫无装饰，并且开衩很低。她不似宋霭龄的富贵，也不似宋美龄的新颖，似乎裹着一种淡泊沉静的书卷气。她出席重要会议或外交场合，也总是穿着旗袍。在所有旗袍中，宋庆龄最爱的是一件黑色香云纱旗袍，这件香云纱旗袍她穿了数十年，最后将旗袍腰部线缝拆开，缝补后接着穿。在开国大典上，宋庆龄就穿着一件黑色拷绸旗袍，系一条白色纱巾，站在毛泽东的身旁，露出欣慰的笑容，似乎连那件旗袍，

◎ 留学美国的宋霭龄（中）宋庆龄（左）宋美龄（右）三姐妹

也都沉浸在无比的喜悦之中。

对张爱玲，人们印象最深的，恐怕是那张经典的张爱玲照片，照片中，张爱玲身着一件墨绿色印花旗袍，高领宽袖，骄傲地抬起下颌，几分傲气，几分清高。

20世纪40年代，那时候，张爱玲正爬着格子，乐此不疲地念叨着旗袍，从面料、色泽、式样到衣角都不放过。现实中，她更是对旗袍上了瘾。1943年，她走上文坛，穿"丝质碎花旗袍，色泽淡雅"。

不过，简约只是张爱玲的幌子，她最爱的还是那些惊艳别致的旗袍。

1945年，她的《倾城之恋》改编为话剧，张爱玲与剧团主持人周剑云见面。周为战前明星公司三巨头之一，交游广泛，张爱玲一见之下也不免拘谨。当时她的那身打扮不免令人生怯。据柯灵介绍，那是"一袭拟古式齐膝的夹袄，超级的宽身大袖，水红绸子，用特别宽的黑缎镶边，右襟下有一朵舒卷的云头——也许是如意。长袍短套，罩在旗袍外面"。

有一次，她从香港带回一段广东土布，刺目的玫瑰红红的花朵和嫩绿的叶子印在深蓝或碧绿的地上，是乡下婴儿穿的，她在上海做成了衣服，自我感觉非常之好，"仿佛穿着博物院的名画到处走"，"完全不管别人的观感"。

时至暮年，张爱玲虽早失去在服装上惊世骇俗的兴趣，但仍注意自己的服装。著名华裔女作家於梨华说："她穿一件暗灰薄呢窄裙洋装，长颈上系了条红丝巾，可不是胡乱搭在那里，而是巧妙地协调衣服的色泽及颈子的细长。头发则微波式，及肩，由漆黑发夹随意绾住，托住长圆脸盘……我不认为她好看，但她的模样确是独一无二的。"

据说，她死前最后一件衣裳是一件磨破衣领的赫红色旗袍，像极了她曾经绚烂一时，而后平和闲淡的一生。

年轻时，她就曾寓言：生命是一袭华美的袍，爬满了蚤子。

沉浮半生缘

喜爱旗袍的现代女子应该懂其渊源，只有这样才能穿出那种婉约清丽的古典气质。旗袍，满语称"衣介"。清末之前的旗袍，还不是严格意义上的旗袍，只是"旗人所穿之袍"的简略。

◇ 源起

新式旗袍源于清代旗袍，二者虽都名为"旗袍"，但本质截然不同。

清末旗女之袍与新式旗袍的主要差别有三点：

1. 旗女之袍宽大平直，不显露形体；近代旗袍开省收腰，表现形态或女性曲线。

2. 旗女之袍内着长裤，在开衩处可见绣花的裤脚；近代旗袍内着内裤和丝袜，开衩处露腿。

3. 旗女之袍面料以厚重织锦或其他提花织物居多，装饰繁琐；近代旗袍面料较轻薄，印花织物较多，装饰亦较简约。

正是这三点差别，使旗袍发生了质的变化——从传统的袍服变成可与西方裙服相类比的新品种。袍服是外套，强调防寒、遮体、表示身份等功能，传统而含蓄。新式旗袍，虽然也强调服装功能，但重视表现女性体态曲线；而现代旗袍则更甚，在表现女性体态方面的特点，民国新式旗袍是有过之而无不及，这确实令人惊异。

◇清旗袍

这种诞生于关外的旗装，具有抵御寒冷、便于行动的特点，是满族男女老幼日常穿着的服装。满人入关后，随着宫廷生活的日渐奢华，旗装开始崇尚精细繁复。

旗装的基本形态是元宝领、直腰身、宽袖笼、双开衩。而清代旗袍的最初造型也是宽腰直筒，两侧或四面开衩，袍长及于足面，加许多镶滚；面料多为绸缎，袍面绣有花纹，袍领、袖、襟、裾等处均有几道花绦或彩芽儿。

其后，清式旗袍又发展出了"十八镶"的装饰手法，即镶上十八道边才算是最美。

到了清代中期，旗袍的领子逐渐增高，至清末已高至两寸（约6.7厘米）多，

◎ 20世纪20年代穿旗袍的清宫女子

四面开衩一律改成两面开衩，袍身变窄，注重镶绣和绣饰。

清朝后期，旗女所穿的长袍，衣身宽博，造型线条平直硬朗，衣长至脚踝。"元宝领"用得十分普遍，领高盖住腮碰到耳，袍身上多绣以各色花纹，领、袖、襟、裾都有多重宽阔的滚边。

至咸丰、同治年间，镶滚达到高峰时期，有的整件衣服几乎全用花边镶滚，以至几乎难以辨识本来的衣料。遍身绣花，多镶多滚，色彩艳丽的旗装在宫墙深处争奇斗艳。梳"把子头"，戴"大拉翅"，蹬"花盆底"鞋，套义甲，展示装饰繁复、配饰琳琅的宫廷风尚，旗女们袅袅转身，留下典雅高贵的旗装印象。

◇ 改良

在清末至辛亥革命期间，由于中西风格相距甚远，不同服饰习俗互相碰撞，变革动荡时期的旗袍造型宽松

◎ 清代旗袍

平直，袖长至腕，衣长至踝，而大襟、宽镶密滚消失了，旗袍由此开始改良。

1911年清朝被推翻后，满族式官服被抛弃，旗袍却为汉族妇女所接受。民国初期，旗袍也被规定为女式礼服之一，这时旗袍样式与清末还比较接近，宽大平直，长至脚面，绣花绸缎面料，宽边镶滚装饰。

20世纪20年代，上海女学生在提倡"男女平等"的思想中，开始穿着男式长袍，于是女子蓝布长袍流行，为旗袍的改进起了推动作用。花边绣饰减少，衣身缩短，各界女性纷纷效仿，逐渐出现了开衩收腰的改良旗袍。

改良旗袍的出现，标志着近代旗袍的诞生。

1929年，当时的国民政府颁布服制的条例，规定旗袍为"齐领，前襟右掩，长至膝与踝中点，与裤下端齐，袖长至肘与手脉中点，色蓝，纽扣六"，这是典型的旗袍式样。自此旗袍开始盛行。

◎ 清代美人图年画

◎ 20世纪30年代民国女性着旗袍行走在街上

◇ 海派旗袍

20世纪30年代的上海，被誉为"东方巴黎"、"风尚之都"。此时期的旗袍如繁花般绚烂，演绎着旗袍鼎盛时期的篇章。上海自海禁开放后，与欧美诸国商贸频繁，欧风美雨在服装上影响尤甚。

改良旗袍，或近代旗袍，都指海派旗袍。20世纪三四十年代的"海派"旗袍，把中国旗袍推上了登峰造极的境地，并在全国风靡开来。旗袍成为当时中国妇女最时髦的服装。

海派旗袍多方吸取流行元素。款式、面料、纹样无不新颖时尚，变化多端。晚礼服式样的露背旗袍、荷叶摆的洋装旗袍、半透明的镂空旗袍渐次出场。令人目不暇接的新式面料层出不穷，最初传统的真丝、香云纱、织锦缎、棉布、毛葛是女人们的最爱，后来大量涌来进口面料，人造丝提花缎、交织烂花绒、镂空丝

◎ 20世纪20年代冰心夫妇

◎ 1935年梁思成、林徽因勘测天坛祈年殿

143

◎ 各式旗袍

◎ 旗袍婚礼

◎ 旗袍时装表演

麻、印花电力纺……

欧美的高跟鞋在城市女性中非常流行，旗袍的下摆也不断加长，与高跟鞋搭配。到了30年代中后期，旗袍的衣摆长可及地，被形象地称为"扫地旗袍"。长旗袍虽然使女性显得身材修长、性感迷人，但行走十分不便，而开衩旗袍正好解决了这一难题，越来越高的开衩与不断加长的衣摆相映成趣。

随后，流行潮流又峰回路转，转向低开衩，以仅露小腿为尚，女子穿着这种长身开低衩的旗袍，坐、立、行走的姿态虽然含蓄优雅，却又不便于行走，因此并没有流行很久。

当时阴丹士林布广为流行。此布面料质地柔软细腻，用来制作旗袍效果非常好，而且价格便宜，很受女学生、女职员等大众女性的喜爱。

20世纪40年代，旗袍样式依然不断变化。由于连年战争，社会各界提倡"旧衣运动"，在服饰上力行节俭，旗袍的衣摆、衣袖大大缩减，长度缩短到小腿中部，有的短至膝盖处；开衩逐渐升高，衣领变得低矮，甚至干脆全部去掉，袖子也由宽松的大袖变得细长，继而又变成短袖、无袖。这时期的旗袍崇尚质朴淡雅，省去了繁琐的镶滚装饰，盘扣改用暗扣。

那时最为时尚的装扮，北方城市的女士喜欢穿浅色阴丹士林蓝布旗袍，再披挂上粗粗的毛衣、夹袄、长围巾，气韵质朴。而上海的女人则更喜欢桃红柳绿的绫罗绸缎和碎花细格布，在搭配上也讲究中西合璧：西式外套、裘皮大衣、长呢大衣，再配以波浪长发和高跟鞋，妩媚时髦。

抗战胜利后，旧上海的奢华达到了顶峰，华美考究的旗袍再度盛行。新式旗袍的改良程度加大，更加明显的胸省、腰省，突出了女性的曲线美。各式各样的镶滚装饰、时髦配件也都卷土重来。旗袍面料广泛运用花边、蕾丝、亮片等装饰，并与披风、披肩、西式的帽子等搭配，出现了明显的时装化趋势。

◇ 风尚

现代，新式旗袍不断融入现代感，不对称的斜裾旗袍、蛮腰微露的性感旗袍、层叠繁复的洛可可式旗袍……

现代设计师对旗袍式样、材质的尝试和创新，无不显示着多样、多变、多元的当代流行时尚。这些大胆的设计，体现着旗袍进入国际时尚圈的不断尝试。

事实上，早在半个多世纪前，旗袍就在国际时尚界初露头角。

1943年，宋美龄一袭黑色旗袍，出席国会演说，征服了美国民众。此后，丘吉尔表示，她的骄矜和妩媚，都让人极为心动。

1947年英国伊丽莎白公主即将举行婚礼，意外地收到了上海鸿翔公司赠送的一件贺礼：洋溢着喜庆气氛和古朴风韵的漂亮旗袍。为此，伊丽莎白特意写信致谢。同年，鸿翔公司的六款旗袍，在芝加哥国际博览会上荣获了银奖。从那时起，旗袍就走向世界时装舞台。

半个世纪后的20世纪80年代，国际时装舞台中，外国设计师马可·伯汉、伊夫·圣罗朗就率先刮起了"中国风"，在设计中采用中式立领、腋下盘纽、两侧开衩等旗袍元素。

◎ 现代旗袍

江南衣裳

◎ 旗袍纽扣

　　1988年巴黎秋冬服装发布会上，约翰·卡里列奥以30年代的上海旗袍为灵感来源，直接推出绸缎旗袍，突出了旗袍的立领、紧身、高衩。

　　诸多国内外女明星，纷纷穿着各式旗袍，频频在红地毯上亮相。中国旗袍，一次次吹起世界流行风尚的中国风。

　　20世纪90年代中期，中国的龙凤吉祥图案以及文字形象，都被西方人视为新鲜的设计元素，旗袍风尚渗透到设计的每一个细节。旗袍的金银相衬、珠玉点缀，领衩的优雅，开合的风光，在现代时尚舞台，闪烁着奇异而耀目的光芒。

读图时代 优雅中国

江南衣裳
定价：26.00元

中式的优雅
定价：26.00元

爱上青花瓷
定价：26.00元

紫玉金砂
定价：26.00元

十二月花神
定价：26.00元

美人装扮
定价：26.00元

城市里的禅心
定价：26.00元

美人美茶
定价：26.00元

悠悠古音
定价：26.00元

邮购须知

一、邮局汇款

1. 收款人地址：湖南省长沙市东二环一段622号湖南美术出版社有限责任公司
2. 收款人姓名：邮购部
3. 邮　　编：410016
4. 请务必用正楷准确填写汇款人详细地址、姓名、邮编和联系电话，确保您能及时收到图书
5. 汇款人附言栏内请写明您所购图书的书名、定价、册数（如需发票请注明）

二、银行汇款

1. 开 户 行：工商银行长沙市韶山路支行
2. 账　　号：1901007009004670792
3. 开户名称：湖南美术出版社有限责任公司
4. 汇款后请您把汇款凭证复印件收件人名称、地址、邮编、订购图书的名称、联系电话一并
   传真至 0731—84787037

三、其他

1. 特别注意：如需特快专递，每单加收特快专递费用20元
2. 如有垂询请致电：0731-84787604